Tú
NACISTE
para
ESTO

BRUCE WILKINSON

TÚ NACISTE
para
ESTO

Siete llaves para una vida
de milagros previsibles

Publicado por
Editorial Unilit
Miami, Fl. 33172
Derechos reservados

© 2010 Editorial Unilit (Spanish translation)
Primera edición 2010

© 2009 por Exponential Inc.
Originalmente publicado en inglés con el título:
You Were Born for This por Bruce Wilkinson.
Publicado por *WaterBrook Multnomah*, un sello de
The Crown Publishing Group, una división de Random House, Inc., New York.
Publicado en español con permiso de WaterBrook Multnomah, un sello de
The Crown Publishing Group, una división de Random House, Inc.
(This translation published by arrangement with WaterBrook Multnomah, an imprint
of *The Crown Publishing Group*, a division of Random House, Inc.)

Traducción: Dr. Andrés Carrodeguas

A menos que se indique lo contrario, el texto bíblico ha sido tomado de la versión Reina
Valera © 1960 Sociedades Bíblicas en América Latina; © renovado 1988 Sociedades
Bíblicas Unidas. Reina-Valera 1960® es una marca registrada de la American Bible Society,
y puede ser usada solamente bajo licencia.
Las citas bíblicas señaladas con NVI se tomaron de la Santa Biblia, *Nueva Versión
Internacional*. © 1999 por la Sociedad Bíblica Internacional.
Las citas bíblicas señaladas con RV-09 se tomaron de la Santa Biblia,
Versión Reina-Valera 1909, Sociedades Bíblicas Unidas.
Las citas bíblicas señaladas con RV-95 se tomaron de la Santa Biblia,
Reina-Valera 1995. © 1998 por las Sociedades Bíblicas Unidas.
Las citas bíblicas señaladas con LBLA se tomaron de la Santa Biblia,
La Biblia de Las Américas. © 1986 por The Lockman Foundation.
Utilizado con permiso.

Los nombres y detalles en algunas de las historias y anécdotas fueron cambiados para
proteger la identidad de los personajes.

Las cursivas en los pasajes bíblicos reflejan el énfasis añadido por el autor.

Producto 495741
ISBN 0-7899-1797-1
ISBN 978-0-7899-1797-3

Impreso en Colombia
Printed in Colombia
Categoría: Inspiración/Motivación/General
Category: Inspiration/Motivational/General

DEDICATORIA

A Aquel que es poderoso para hacer todas las cosas mucho más

abundantemente de lo que pedimos o entendemos, según el

poder que actúa en nosotros, a él sea gloria.

Tomado de Efesios 3:20-21

Contenido

Contenido

TERCERA PARTE: CÓMO SE ENTREGA UN MILAGRO

CUARTA PARTE: TRES LLAVES PARA LOS MILAGROS DE ENTREGA ESPECIAL

Primera parte

BIENVENIDO AL TERRITORIO DE LOS MILAGROS DE TODOS LOS DÍAS

1

Una nueva forma de ver el mundo

Tú naciste para esperar un milagro hoy

¿Qué tal si te dijera que ayer te perdiste un milagro? ¿Y no un milagro cualquiera, sino uno que el cielo quería hacer por medio de ti a fin de hacer un significativo cambio para bien en la vida de alguien... tal vez en la tuya?

Te comprendería si tuvieras dudas.

Sin embargo, junto a esas dudas, la mayoría de nosotros puede identificar una experiencia que es más o menos universal. Casi todos los seres humanos en el mundo, cualesquiera que sean sus creencias religiosas, pueden identificar un hecho en sus vidas que parecía imposible de explicar sin decir: «¡No puedo creer lo que acaba de suceder! ¡Eso fue un milagro!». A esas experiencias las llamamos coincidencias divinas, momentos de milagros, provisiones sobrenaturales. De cualquier manera que las llamemos, tendemos a valorarlas tan alto, que las seguimos contando una y otra vez, muchas veces durante años. Decimos: «Nunca olvidaré la vez en que...»; o bien: «Tarde o temprano, mi hija te lo va a contar...».

¿Por qué recordamos estos hechos con tanta claridad? Creo que se debe a que sentimos que nos ha tocado el cielo. Es como si el mismo Dios pasara a través de la cortina que separa lo visible de lo invisible para hacer que ocurra algo asombroso, algo que solo puede hacer Él.

Sin embargo, he aquí la mejor parte. En la experiencia escuchamos un mensaje personal e inolvidable de Dios. Algo como esto: *Aquí estoy. Me interesas. Puedo hacer por ti lo que no puedes hacer solo.*

A partir de esa experiencia que es casi universal, este libro hace unas pocas preguntas que son sencillas, pero intrigantes:

- ¿Por qué las experiencias de milagros son tan raras para la mayoría de las personas?
- ¿Por qué Dios quiere que las experimentes con regularidad?
- ¿Y qué pasa si a la gente común y corriente, como tú y yo, nos invitaran a asociarnos con Dios para realizarlos en otros?

Si estas preguntas ponen en tu mente una imagen en la que hay personas caminando por todas partes procurando ser parte de los momentos milagrosos con regularidad, no estás muy equivocado.

Un encuentro misterioso

Te narraré un misterioso encuentro que tuve en un restaurante de las afueras de Denver con un camarero llamado Jack. Lo denomino misterioso, porque en la superficie todo parecía muy común y corriente. Cinco amigos en una mesa para seis personas, camareros que iban y venían, voces, ruidos de platos... todo lo que es de esperar en un restaurante lleno. No obstante, cuando terminamos de cenar, todos sabíamos sin lugar a dudas que estuvimos presentes en una cita divina.

Era como si Dios mismo hubiera llegado hasta nosotros y nos hubiera dicho: «Gracias por guardarme un lugar. He estado esperando la oportunidad de hacer algo por Jack».

He aquí lo que sucedió.

Durante el transcurso de la cena, Jack nos había atendido bien. Sin embargo, fuera de la conversación usual acerca del menú y de nuestros pedidos, no hablamos mucho con él. Mientras tanto, la conversación en la mesa giraba alrededor de algunas de las enseñanzas más extremas de Jesús, como las de «Pedid, y se os dará» y «Más bienaventurado es dar que recibir». Durante la conversación, sentí una inesperada indicación del cielo a fin de que intentara hacer algo que no había hecho nunca antes. Al mismo tiempo, sentí que me daba a entender que involucrara a Jack.

Mi experimento comprendía poner «en riesgo» tres billetes de cien dólares. Ahora bien, no dejes que esa cantidad te espante. El dinero no era mío, y créelo o no, la persona que me permitía llevarlo conmigo esperaba que lo regalara. (Aun así, de esto hablaré más en otro capítulo).

Cuando Jack llegó para echar agua de nuevo en los vasos, le hice una pregunta:

—¿Has oído decir alguna vez aquello de "más bienaventurado es dar que recibir"?

—Sí, lo he oído —me dijo.

—¿Crees eso?

—Claro, me parece que sí —me respondió con una mirada de asombro.

—¡Muy bien! Tengo una interesante oportunidad para ti —le dije y puse un billete de cien dólares sobre la mesa—. Tienes delante de ti una decisión poco usual, Jack. O bien recibes estos cien dólares como un regalo, no como una propina...

Hice una pausa. Sin duda, había captado la atención de Jack y las dos parejas que iban conmigo parecían contener la respiración. Luego, miré a Jack.

—O puedes rechazar el dinero y, en su lugar, darnos un postre a cada uno de nosotros. Sin embargo, serías *tú* el que pagaría los postres, no el restaurante. No puedes hacer las dos cosas y no hay nada bueno, ni malo. Entonces, ¿qué desearías hacer: dar o recibir?

Jack se quedó paralizado, con la jarra de agua en la mano. Me preguntó dos veces si hablaba en serio. Por fin, me dijo:

—Prefiero tomar los cien dólares.

Fiel a mi palabra, le di el billete.

—¡Gracias! —me dijo. Después se volvió a la cocina.

Una vez que se fue, mis amigos comenzaron a respirar de nuevo y todos tratamos de analizar lo sucedido. Esa prueba tan poco común que le puse acerca de dar y recibir, ¿era al menos justa?

¿Qué estaría pensando Jack ahora? ¿Y qué cosas raras no le estaría diciendo al personal de la cocina?

Al mismo tiempo, me sentía cada vez más incómodo. Verás, antes, deslicé los otros doscientos dólares debajo de mi plato. Si el camarero hubiera decidido pagarnos los postres en lugar de tomar los cien dólares, creyendo que es más bienaventurado dar que recibir, le habría dado los doscientos dólares que oculté. En realidad, había tenido la esperanza de que tomara la decisión que significaba un sacrificio, porque había sentido de manera poderosa que Dios le quería dar ánimo con la cantidad mayor. Cuando regresó, le dije:

—Jack, tengo una curiosidad. ¿Te parece que tomaste la decisión apropiada?

—¡Por supuesto! —me dijo emocionado—. Es más, eso fue un milagro. Verá, soy padre soltero —dijo y sacó su billetera mostrándonos con orgullo una fotografía de su hijo de tres años.

»¡Verdad que es maravilloso! —nos dijo con una gran sonrisa. Entonces nos explicó su reacción—: Tengo que trabajar en tres empleos distintos cuatro días a la semana, solo para poder cuidar de mi hijo los otros tres días, cuando trabaja mi ex esposa. Aun así, me está costando mucho trabajo mantenerme a flote. Justo esta mañana, le tuve que enviar por correo mi cheque de pensión alimenticia, aunque tenía la cuenta de banco en cero. Esta tarde, mientras venía para el trabajo, la realidad es que oré: "¡Señor, por favor, necesito cien dólares extra y los necesito esta misma noche!".

Me quedé mudo y conmigo, mis amigos. ¿Cómo habríamos podido conocer la crisis por la que pasaba nuestro camarero, ni la oración en la que pidió cien dólares?

Entonces fue a mí al que me tocó dar explicaciones. Le dije que aunque hubiera decidido dar en lugar de recibir, tenía pensado darle los cien dólares.

—Pero ahora que conozco tu historia, estoy de acuerdo contigo. Tomaste la decisión adecuada.

De repente, supe lo que hacía falta que pasara después.

—Tienes que saber que ese dinero no era mío —le dije—. Su dueño quería que se lo pasara a la debida persona, como una especie de mensaje. Y estoy seguro de que tú eres esa persona.

Busqué debajo del plato los otros doscientos dólares.

—Es obvio que Dios quería que tuvieras los cien dólares y que quiere que también tengas este otro dinero.

Lo que Dios piensa que es normal

¿Qué acaba de suceder aquí? Vamos a analizarlo:

- Jack fue en su auto esa tarde al trabajo para atender a las mesas, pero llevaba consigo una necesidad secreta y urgente.
- Yo fui desde Colorado hasta Atlanta en viaje de negocios y terminé cenando con unos amigos en el restaurante donde trabajaba Jack.
- Sin que lo supieran Jack ni mis amigos, iba preparado para satisfacer las necesidades económicas de alguien con un dinero que no era mío.
- Al final de la noche, Dios usó a una persona para entregarle a otra persona algo que satisfacía una gran necesidad y, en cierto sentido, eso fue de seguro milagroso para todos los involucrados.

Tal vez tú reacciones de una manera distinta ante lo que sucedió alrededor de esa mesa. Por ejemplo, es posible que pienses: *Bueno, no tengo un billete de cien dólares por todos los alrededores. Y si lo tuviera, ¿por qué se lo daría a un extraño? En cualquier caso, ¿cómo sabría a quién dárselo?*

Miraremos más de cerca estas reacciones y otras semejantes en las siguientes páginas. Verás, te prometo, que es muy probable que Dios tenga planes de cinco dólares, o de veinte, como los tiene para cien, y que Él nunca nos pide a ti o a mí que le sirvamos de una manera que no se ajuste a nosotros de manera personal y perfecta.

> *Dios usó a una persona para entregarle a otra persona algo que satisfacía una gran necesidad y, en cierto sentido, eso fue de seguro milagroso.*

Por ahora, sin embargo, hazte la idea de que formas parte de la historia de nuestra cena con Jack. Imagínate cómo te habrías sentido al dejar atrás esa mesa, sabiendo que desempeñaste un papel activo en la entrega de la provisión de Dios a un joven que se encontraba en una situación desesperada. Mejor aun, imagínate todo un estilo de vida lleno de encuentros de esta clase, en los que Dios obre a través de ti de maneras inexplicables para hacer un milagro... y lo haga con regularidad.

Esta clase de vida, no solo es posible, sino que es lo que Dios considera normal cuando piensa en ti.

Dios no te puso en esta tierra para que lo observaras en acción una o dos veces en toda tu vida.

¿Sabes? Él no te puso en esta tierra para que lo observaras en acción una o dos veces en toda tu vida. No te creó para que te perdieras a cada momento la maravilla de su presencia y su poder.

La verdad es que tú naciste para vivir una vida sobrenatural haciendo la obra de Dios mediante su poder. Tú naciste para marcharte por la puerta cada mañana creyendo que Dios te usará a fin de realizar un milagro imprescindible para algún necesitado.

Este libro te mostrará cómo hacerlo.

El territorio de los milagros diarios

Cuando de milagros se trata, la mayor parte de la gente que conozco ve el mundo dividido en dos.

En el extremo izquierdo hay una región que podríamos llamar la Tierra de Señales y Prodigios. En esta tierra parecen suceder con frecuencia unos milagros asombrosos, aunque solo en favor de unos cuantos escogidos. Este mundo se revela sobre todo en la televisión, en unas pocas iglesias nada comunes y en lugares muy distantes. No obstante, Señales y Prodigios es un lugar excepcional. En esa tierra, los ciegos recuperan la vista y los inválidos sueltan su bastón para salir corriendo como niños de escuela.

En el extremo derecho se encuentra la Tierra de Buenas Obras. Aquí, nadie presenta ningún espectáculo. Sin embargo, por fortuna, esta tierra está llena de buenas personas que se ayudan entre sí y hacen buenas obras. Y, por supuesto, Dios se siente complacido con ellas.

Es interesante saber que en la Tierra de Buenas Obras hay una gran cantidad de personas que creen en los milagros y que dedican tiempo a estudiarlos. Solo que lo que sucede es que no tienen la esperanza de ver ningún milagro real, mucho menos participar en los mismos con regularidad. Cuando alaban a Dios por sus milagros, se sienten agradecidos por unas cosas que sucedieron hace mucho tiempo. La Tierra de Buenas Obras no es un lugar deslumbrante, como la de Señales y Prodigios, pero las cosas son más controlables allí. Más previsibles.

¿Cuál es la mayor desventaja de la Tierra de Buenas Obras? Que Dios pocas veces se presenta de manera sobrenatural. ¿Por qué lo haría? Nadie espera lo milagroso y, además, todo marcha sobre ruedas. O así parece.

¿En cuál de estas dos tierras dirías que vives casi siempre?

Una gran mayoría de las personas vive en la Tierra de Buenas Obras. Aunque algunos dirían que han experimentado milagros personales significativos en el pasado, en algún momento de avivamiento espiritual o en tiempos de crisis, creen que esas experiencias son escasas. Más importante aun, creen que no tenemos un papel que desempeñar en cuanto a si alguna de esas cosas vuelve a suceder o no, así que no hay motivo para salir de la casa hoy en busca de una.

Lo que quiero que comprendas es que si vives en una de las dos tierras descritas, habrás pasado por alto la región más prometedora de todas. Lo que sucede es que, entre el deslumbramiento de Señales y Prodigios y los deberes de Buenas Obras se encuentra una amplia y prometedora zona media.

En este libro, a esta tierra intermedia le damos el nombre de Territorio de Milagros Diarios. Aquí, la gente cree que Dios quiere intervenir, y lo hace con regularidad, de maneras sobrenaturales en los asuntos humanos. Aquí, la gente común y corriente ve las necesidades insatisfechas como oportunidades de oro para que Dios se presente, y lo haga a través de ella misma, casi en cualquier momento. No esperan recibir unos poderes especiales, ni tampoco que Dios abra los cielos en su favor. Han experimentado milagros y saben sin ninguna duda que esos milagros son para ellos, y para otros como ellos, aquí mismo y en este momento.

Los que viven en el Territorio de Milagros Diarios ya han hecho dos asombrosas observaciones.

Una está llena de esperanza. Dondequiera que miran, en cada situación, ven el potencial para una inolvidable «incidencia divina»... no una coincidencia, sino un momento en el que Dios irrumpe en la escena para satisfacer una necesidad real por medio de ellos de una manera que solo puede hacerlo Él. En realidad, ¡algunos días sienten como si Dios tuviera un montón de milagros listos para repartir!

Su otra observación está llena de consternación.

Están casi solos.

¿Estarías de acuerdo conmigo en que son pocos hoy los que viven en el Territorio de Milagros Diarios? Escribí este libro para ayudarte a ver que la tierra de milagros personales y diarios está en el hogar que te corresponde. En lugar de enfocarse en los actos que desafían la naturaleza y que *puede* hacer Dios, este libro te invita a encontrar los milagros que *hace* Dios con regularidad y aceptar tu emocionante parte en hacer que sucedan.

Descubrirás que en lo que Dios decide confiar para esos encuentros divinos no es más que en un siervo dispuesto. No exige ninguna experiencia previa. No hace falta tener un historial de perfección. Tampoco se necesita ningún don religioso ni ninguna calificación especial. En este libro, a esas personas que son tan agradablemente comunes y corrientes, las llamamos «repartidores» de Dios. Son hombres y mujeres que le dicen: «¡Por favor, envíame hoy a hacer tu obra con tu poder!».

Eso fue justo lo que dijo Jimmy.

Jimmy, el «repartidor»

Jimmy es uno de los hombres que mejor plantados tienen los pies en la tierra, entre todos los que he conocido. Puede arreglar cualquier cosa, encontrar cualquier cosa, arreglárselas con cualquier cosa. ¿Naufragaste en una isla desierta con un puñado de gente? Vas a querer que Jimmy forme parte de ese puñado. ¿Quieres programar tu *iPhone* para sacar a caminar a tu perro? Jimmy te lo hace. Solo te recomiendo que no le pidas que pierda su tiempo tomando té y hablando de relaciones, o meditando en el significado del universo.

La primera vez que Jimmy oyó decir que podía colaborar con Dios en sucesos sobrenaturales con regularidad, pensó: *No lo creo probable.*

Al fin y al cabo, trabajaba en la construcción, no en el ministerio. Le costó trabajo recordar al menos una sola ocasión en los últimos diez años cuando podía decir con certeza que lo sobrenatural se manifestó con claridad. La idea de un estilo de vida lleno de milagros le parecía tan real a Jimmy, como recorrer en auto un cinturón de asteroides.

Sin embargo, en el transcurso de una conferencia «Tú naciste para esto», Jimmy comprendió que quería aprender de verdad cómo asociarse con el cielo para hacer la obra de Dios en la tierra. Dando un gran paso hacia lo desconocido, se comprometió a ser un «repartidor» de Dios en el momento y lugar en que Él lo llamara a serlo.

A la mañana siguiente, mientras entregaba unas ventanas en una obra en construcción, entabló una conversación con un carpintero llamado Nick. Este le dijo que su matrimonio estaba arruinado y que no tenía muchas esperanzas. Solo parecía que quería desahogarse.

En condiciones normales, Jimmy le habría expresado su solidaridad a un hombre en esa situación, y después habría desviado la conversación lo más lejos posible de un tema tan sensible. Sin embargo, esta vez Jimmy siguió hablando del tema. Escuchó a Nick, se identificó con sus luchas y le hizo unas cuantas preguntas. Entonces, sintiendo que ese hombre le había abierto el corazón, le hizo una pregunta sencilla de las que invitan a los milagros. Era una pregunta que aprendió en la conferencia:

—Nick, de veras quiero ayudarte. ¿Qué puedo hacer por ti?

—Puedes decirme qué debo hacer a continuación —le dijo el carpintero sin dudarlo—. Estoy hecho un lío, pero en verdad quiero que este matrimonio se arregle.

Jimmy entró en pánico. ¿Decirle a otro hombre de qué manera podía arreglar una relación? *¡No lo creía probable!* Sin embargo, respiró hondo, y después dio un extravagante paso de fe.

—¿Por qué no consigues algo para escribir? —le dijo al carpintero—. Cuando regreses, te voy a decir de qué manera puedes salvar tu matrimonio.

Lo cierto es que Jimmy estaba dando tiempo. No tenía ni idea de lo que le iba a decir a Nick. Aun así, como me explicó más tarde, se aferraba a un par de cosas que yo dije en la conferencia: «Tranquilízate. El que hace el milagro es Dios, no tú», y «Dale un minuto a Dios». Algo o Alguien parecía estar abriendo el camino en esta conversación con Nick, y Jimmy estaba decidido a seguirlo.

Cuando regresó el carpintero, Jimmy se escuchó decir:

—Lo que necesitas es volver a tu casa y hacer tu cama.

Jimmy no tenía idea de dónde le vino eso, ni para qué podría servir.

—Eso es todo lo que te tengo que decir —le dijo en plan de excusa—. Me imagino que ni siquiera necesites escribirlo.

Sin embargo, el carpintero se quedó mirando a Jimmy con la boca abierta.

—¿Cómo lo supiste? —exclamó—. ¡Esa es una de las fuentes gigantes de conflictos entre nosotros! Soy el último en levantarme y *nunca* hago la cama. Mi esposa dice que eso es señal de todo lo que anda mal en nuestro matrimonio. No lo entiendo. Sin embargo, ¿sabes una cosa? Voy a tomar el auto a la hora del almuerzo para ir a hacer la cama antes que mi esposa llegue a la casa.

Para mí, esta historia demuestra que Dios está dispuesto a hacer un milagro personal, si nosotros estamos dispuestos a entregarlo. Nick no esperaba que un extraño lo ayudara. Y Jimmy no pensaba que le pudiera dar ayuda alguna. Sin embargo, lo que sí tenía era la disposición de comunicarle lo que Dios le indicaba que dijera.

No obstante, lo mejor de lo que muestra la historia es el corazón de Dios. A Él le interesan las luchas personales de un carpintero llamado Nick... y quería que Nick lo notara. Estaba lo bastante interesado en él como para mostrarle un paso práctico que podía dar y que le diría más a su esposa que una carta de amor, y hasta era posible que cambiara por completo la situación de la pareja.

Todo lo que Él necesitó fue a Jimmy, su repartidor.

Haz lo que Dios quiere que hagas

Es posible que seas como Jimmy, sin preparación ni cualidad alguna, pero listo para probar algo distinto. Tal vez crecieras en la iglesia y tengas una larga lista de logros religiosos que señalar. O quizá seas como Nick, que duda de la existencia de Dios o de que Él se preocupa por ti. Sin embargo, el cielo obra de maneras que parecen tener aplicación, sin importar cuál sea nuestra mentalidad espiritual.

Tal vez hayas oído hablar de mi libro *La oración de Jabes*. Este libro señala cómo una oración casi desconocida que hizo alguien tres mil años atrás, aún puede tener como consecuencia una gran bendición e influencia para Dios en nuestros tiempos. Fueron millones las personas que compraron el libro, hicieron la oración... y se quedaron atónitas ante lo que Dios comenzó a hacer en sus vidas. Creo que una de las razones por las que el mensaje de ese libro tuvo resonancia en tantas personas fue que hizo accesible el ministerio (que solo significa hacer lo que Dios quiere que se haga en el mundo), convirtiéndolo en un estilo de vida.

Jabes vivió en Israel en la antigüedad. La Biblia dice que fue «más ilustre que sus hermanos». No obstante, que yo sepa, no lo fue a causa de una posición espiritual superior. Es posible que fuera «más ilustre» porque le pidiera a Dios de todo corazón que hiciera con él y por medio de él justo lo que ya Dios quería que se hiciera. Y la Biblia dice: «Y le otorgó Dios lo que pidió»[1].

Mediante la oración de Jabes, millones de personas aprendieron a pedirle a Dios que ensanchara su territorio de influencia para Él y, luego, pusiera su poderosa mano sobre ellas. No sorprende que, tan pronto como dieron esos valientes pasos, estas personas comenzaran a ver oportunidades para milagros por todas partes. Y fueron miles los que me escribieron emocionados para informarme de lo que les estaba sucediendo.

Esto es lo que quiero que veas: *La oración de Jabes* le mostró a una gente común y corriente cómo le debía pedir a Dios que ensanchara en gran medida sus oportunidades de servirle. *Tú naciste para esto* les muestra a esas mismas personas comunes y corrientes cómo ser intencionales al respecto y tener la habilidad de invitar a que lo milagroso se produzca en medio de esa vida más amplia.

Piensa en el libro *Tú naciste para esto* como el *Jabes* del poder milagroso.

A todos los que son como Jimmy y como Jabes en el mundo, este libro les revela de una manera práctica la forma sobrenatural en que Dios obra por medio de los que se le asocian de manera voluntaria para cambiar las situaciones en la vida de la gente. Así se llega a la vida más provechosa y significativa que nos podamos imaginar jamás.

No te lo imaginarías, pero como respuesta a mis propias oraciones de esos años, Dios ensanchó mi territorio más allá de lo que habría podido sospechar.

Envió a nuestra familia al África.

Cuando no bastan las buenas obras

En el año 2002, mi esposa, Darlene, y yo experimentamos un claro llamado a mudarnos hacia el África, a fin de enfrentarnos a algunos de los desafíos más gigantescos de nuestros tiempos. «¿Quieren ir?», nos dijo Dios. «¿Les interesaría ir?»

Esto sucedía durante los meses más agitados del tiempo que estuve dando conferencias y escribiendo acerca de Jabes. ¿Por qué Dios nos pediría que dejáramos atrás un ministerio en plena expansión basado en un libro que era tan claro que Él estaba bendiciendo? No lo entendíamos.

Las buenas obras, por sí solas, nunca serán suficientes para suplir las urgentes necesidades de nuestro tiempo.

Tal vez pienses que alguien que ha estudiado el carácter de Dios en el ámbito universitario y dedicado su vida a servirle, no se sorprendería al ver que Él reorienta su vida de una manera radical. Debo confesar que hasta entonces, había disfrutado de una gran claridad en cuanto a lo que Dios me había llamado a hacer. Me veía como maestro de Biblia, líder y hacedor de discípulos. Mi casa editorial me veía como autor. Y eso era todo.

Sin embargo, casi de un día para otro, experimentamos un despertar espiritual a las necesidades de un continente. Pobreza. Prejuicios. Hambre. SIDA. Huérfanos. Dios parecía decirle a mi familia: «Me duele el corazón ante estas cosas. Quiero que a ustedes también les duela el corazón por ellas».

Sin saber lo que eso podría significar, le dijimos que sí. Entonces, creyendo que Él nos había llamado a una misión personal de unos tres a cinco años de duración, nos despedimos de nuestros parientes y amigos, y nos mudamos para Johannesburgo, en Sudáfrica.

¿Qué tiene que ver todo eso con el libro *Tú naciste para esto*? Desde el principio supimos que tratar de satisfacer cualquiera de esas necesidades sería una tarea demasiado grande para nosotros. Dios se tendría que manifestar de maneras extraordinarias o no se lograría nada de importancia.

Y lo hizo. No comenzamos preguntando: «¿Qué podemos hacer?», sino «¿Qué quiere Dios que se haga?». Nos fijamos algunas metas de alto riesgo en las zonas de mayor necesidad. Nuestro plan para el ministerio esperaba que Dios interviniera; incluso dependía de que lo hiciera. Al final, nos dedicamos a colaborar con otros, incluso grupos dedicados a la caridad, organizaciones africanas, agencias del gobierno, iglesias y miles de voluntarios del Primer Mundo, para alcanzar unas metas que hacían ensanchar nuestra fe. Por supuesto, no todo lo que intentamos tuvo éxito. Aun así, seguimos pidiendo milagros y corriendo riesgos por fe, y Dios *sí* se manifestó, como te contaré en las siguientes páginas.

Cuando llegó el momento de regresar a los Estados Unidos, nuestra manera de pensar había cambiado de dos maneras importantes.

En primer lugar, estábamos convencidos de que las buenas obras, por sí solas, nunca serán suficientes para suplir las urgentes necesidades de nuestro tiempo. Esto es cierto, tanto si esas necesidades son personales, como si son globales en su amplitud. A decir verdad, necesitamos más de Dios. ¡Necesitamos milagros con toda urgencia!

«Tú naciste para esto» es una osada iniciativa que intenta recuperar lo milagroso como manera normal de vivir.

En segundo lugar, aprendimos que a menudo los cristianos de mucho tiempo son los que más se resisten a los milagros. Muchos han dejado de esperar milagros y pedirlos, o incluso saber cómo asociarse con Dios para invitarlos a que se produzcan. En otras palabras, abandonaron el Territorio de Milagros Diarios y muchas veces miden su éxito por lo *poco* que necesitan de Dios.

Como sería de esperar, las consecuencias que tiene el que limitemos lo que Dios hace en la tierra a lo que podamos hacer por Él son desastrosas. Basta con que eches una mirada a tu alrededor. Las necesidades personales y globales más urgentes siguen sin satisfacerse, mientras una generación pregunta: «¿Dónde está Dios? ¿Se preocupa? ¿Acaso existe siquiera?».

Sin embargo, las cosas no tienen por qué ser así.

Los milagros son para todos

Tú naciste para esto es una osada iniciativa que intenta recuperar lo milagroso como manera normal de vivir. Mediante conceptos bíblicos, historias de la vida real y sugerencias prácticas, te mostraré el aspecto que podría tener esa nueva vida normal para ti.

En la primera parte, verás por qué todas las personas con las que tropiezas tienen alguna necesidad insatisfecha que Dios tiene grandes deseos de satisfacer y es probable que sea por medio de ti mismo. Descubrirás que el Territorio de Milagros Diarios es real... y que te hallas en medio de él.

Definimos un milagro como «un suceso extraordinario que manifiesta la intervención divina en los asuntos humanos»[2]. Es cierto que Dios no nos va a dar a la mayoría de nosotros el poder necesario para sanar a alguien o para caminar sobre el agua. La Biblia indica con claridad que no a todos se les ha dotado para realizar tales milagros. Sin embargo, también señala con claridad que a todos nos han invitado a hacer la obra de Dios mediante su poder. Por eso, en este libro solo nos vamos a centrar en los milagros personales que están al alcance de todos nosotros.

Soy lo suficiente audaz como para decir que esos milagros son previsibles. Con esto me refiero a que cuando hacemos la obra de

Dios a su manera, Él se revela como un Dios que obra milagros. Me refiero a que los milagros se producirán con una regularidad tal, que su aparición te va a parecer previsible, no por la forma ni el momento en que se produzcan, sino porque *se van a producir*.

En la segunda parte te presentaré cuatro llaves para una vida de milagros. Estas llaves te capacitarán como «repartidor» de Dios para

- hacer una petición muy específica y urgente;
- comprender y aceptar la agenda de milagros que Dios hizo para ti;
- saber la forma de asociarte con un poder invisible;
- correr un riesgo prometedor y transformador a la vez.

En la tercera parte, hallarás consejos prácticos en cuanto a la manera de entregarle un milagro a alguien necesitado. En primer lugar, aprenderás cinco señales universales identificables que te guiarán en tu asociación con el cielo. Después aprenderás cinco pasos para entregar un milagro. Cuando aprendas y apliques con regularidad esas verdades, podrás invitar a Dios a realizar un milagro por medio de ti a cualquier persona y en cualquier momento.

Esta última declaración es un tanto asombrosa, ¿no es cierto? Aun así, como verás, Dios está tan interesado en satisfacer las necesidades más profundas de las personas, que siempre anda buscando voluntarios dispuestos a convertirse en enlaces entre el cielo y la tierra.

En la cuarta parte, te presentaré tres llaves más que liberan lo que llamo «milagros de entrega especial». Estos milagros satisfacen unas necesidades que son importantes para todos: la economía, los sueños que tenemos en la vida y el perdón. Cada uno de los capítulos se basa en sorprendentes conceptos tomados de la Biblia, y está ilustrado con historias que encontrarás instructivas y muy motivadoras a la vez.

Tú naciste para esto cambiará tu manera de ver el mundo y lo que esperas que Dios pueda y quiera hacer por medio de ti para satisfacer unas necesidades reales. Vas a adquirir dominio de unos cuantos recursos sencillos, pero poderosos, y llegarás a poder decir con seguridad: «Hoy quiero asociarme al cielo para entregarle un milagro a alguien necesitado... ¡y ahora sé cómo hacerlo!».

Si eso es lo que quieres, te invito a pasar la página.

2

Una diferencia pequeña
y enorme a la vez

*Tú naciste para hacer la obra de Dios
con el poder de Dios*

En el primer capítulo describí una emocionante vida nueva llena de milagros. Además, prometí que experimentar lo sobrenatural con regularidad es el «esto» para lo que naciste.

No obstante, si despertar a nuestro potencial de milagros es tan maravilloso, y si esto es lo que Dios quiere para nosotros, ¿qué les impide a tantas personas que vivan de esta forma en realidad? ¿Por qué caemos siempre en la rutina de tratar de ayudar a los demás por nuestra cuenta, de tratar de evitar toda situación en la que nos veamos forzados a depender de Dios para lograr el éxito?

Lo cierto es que podemos tener una relación con Dios y estar activos ayudando a otros durante años, sin comprender sus caminos en realidad, ni permitirle que obre por medio de nosotros de manera sobrenatural. Pienso que en el centro mismo del problema existe una pequeña distinción con grandes consecuencias. Me refiero a la diferencia entre conocer que existe el poder de Dios y asociarnos de verdad con Él en la entrega de milagros.

Un suceso de mi propia vida ilustra esta diferencia pequeña y enorme a la vez.

Hace algunos años, me invitaron a hablarles a ochenta hombres en un centro de retiros. En la noche de la reunión, le pregunté a la persona encargada:

—¿Qué desearía que haga si Dios se presentara esta noche?

—¿Qué quiere decir con eso? —preguntó sorprendido.

—Si el Señor se mueve y hace algo fuera de lo corriente, ¿qué quiere que haga? —le dije repitiendo mi pregunta.

—Bueno, sería importante que lo terminara todo en treinta minutos, como acordamos —me respondió después de pensarlo un poco.

—Muy bien —le dije—. Con todo, si sucede algo más que podría ser inesperado, lo voy a mirar a usted. Si quiere que termine, solo tiene que llevarse la mano a la oreja derecha y yo termino enseguida con una oración.

Mi plan en caso de una contingencia no pareció agradarle.

—Yo no tengo necesidad de llevarme la mano a la oreja, Dr. Wilkinson. Limítese a terminar en treinta minutos.

Confieso que en ese momento me imaginé a Dios sacudiendo la cabeza con desilusión. Es que no estaba allí solo porque me invitaron. Antes de aceptar la invitación, tuve la fuerte sensación de que ya me habían «enviado». (Hablaré más acerca de esto en el capítulo 4). Entonces, mientras oraba acerca de lo que iba a decir, sentí que el cielo quizá nos tuviera reservado algo extraordinario.

Cuando llegó el momento, me recibieron de manera calurosa en ese salón repleto de hombres y comencé mi mensaje. No habían pasado cinco minutos cuando recibí un impulso divino (también hablaré más de esto en otra ocasión). De una forma que no era la común y que, además, era imposible de pasar por alto, mi atención se dirigió a un hombre sentado en la cuarta fila, a la izquierda del pasillo central.

Decidí confiar en ese impulso. Es más, me arriesgaba a quedar como un tonto debido a esto. Dejé de hablar, caminé por el pasillo y me le presenté. Ese hombre se llamaba Owen. «Siento que en su vida está pasando algo fuera de lo común», le dije. «¿Hay algo que pueda hacer por usted?»

La alarma se veía con claridad en el rostro de Owen. «¡No!», exclamó. «No, no hay nada. De veras, estoy bien».

Y entonces, ¿qué podía hacer? Nada, sino solo pedirle disculpas a Owen y volver al frente. Mientras me dirigía a la plataforma, pensé: *Bueno, Señor, eso fue extraño.*

Necesito decirte que el tipo de oyentes a los que les hablo no está acostumbrado a los oradores que se detienen en medio de una frase y caminan hasta el público con una pregunta personal y directa. (En realidad, yo mismo tampoco lo estoy). Algunos de los hombres que estaban en el salón me miraban ahora como si fuera un personaje peligroso.

Una vez que puse en orden mis pensamientos, comencé de nuevo. Sin embargo, casi de inmediato sentí que Dios volvía con su impulso. El mismo impulso y el mismo hombre. Esta vez, me debatí con el cielo, y mi argumento era sólido. *Acabo de hacer eso mismo, Señor, y no sucedió nada.*

Sin embargo, el impulso de Dios era claro. *Ve otra vez.*

¿Has llegado alguna vez a un punto de tu vida en el que has tenido que escoger entre todo lo visible, todo lo esperado y sensible... y algo invisible, algo inaudible, algo que solo tú conoces y que no tienes manera de defender, *pero que sabes en tu corazón que es cierto*? Cuando Dios me impulsó de nuevo, pasé por uno de esos momentos. Comencé a vacilar y, luego, me callé. Así que decidí correr otro riesgo en fe.

Por lo tanto, tomé una silla del frente, la llevé conmigo pasillo abajo y me senté justo al lado de Owen.

—Señor, por favor, no se sienta ofendido —le dije con serenidad—, pero usted no me está diciendo la verdad.

Se podía escuchar el vuelo de una mosca.

Owen puso el mismo rostro alarmado de antes, pero cuando por fin pudo hablar, me dijo:

—¿Y cómo lo supo usted?

—En realidad, no lo sé —le dije—. Pero Dios sí, y Él tiene algo en mente para usted esta noche. Siento que hay algo que lo está atribulando de manera profunda.

—Lo cierto es que esta noche voy a renunciar al ministerio —me dijo Owen con gravedad—. Esta tarde llamé a mi esposa y le comuniqué mi decisión. Apenas termine su sesión de esta noche, habré terminado yo también.

Un salón lleno de testigos

—¿Le importaría decirme por qué va a renunciar? —le pregunté a Owen.

Con voz entrecortada, Owen me contó su historia. Había sido hombre de negocios y le había ido bien. Sin embargo, cuando se sintió llamado por Dios para trabajar con las personas, dejó sus negocios y se entregó de alma y corazón a su nuevo ministerio. Desde el punto de vista económico, nada había ido como esperaba.

—Mi esposa y yo caímos en la bancarrota por tratar de mantener a flote lo que hacíamos —me dijo—. Nos encanta lo que hacemos. Aun así, hemos perdido nuestros ahorros y nuestros fondos de jubilación. Le he sacado una segunda hipoteca a la casa. Mis tarjetas de crédito están repletas al máximo. Y encima de todo eso, tengo una deuda de dieciséis mil dólares...

Ya para entonces, Owen tenía que luchar para poder hablar.

—Ya me cansé —dijo en voz baja—. Después de esta noche, renuncio.

Todos los hombres que estaban en el salón se podían identificar con el doloroso dilema de Owen. Si Dios quería que siguiera en el ministerio, ¿por qué las circunstancias se habían vuelto tan difíciles para él y su familia? Eso fue lo que le dije, y le conté que mi esposa y yo habíamos pasado numerosas veces por pruebas parecidas. Entonces le dije:

—Le tengo una sola pregunta. Cuando cambió el curso de su vida y se lanzó al ministerio, ¿fue una decisión suya ese cambio de profesión o diría que fue una respuesta a un llamado divino?

—Dios nos llamó —me dijo—. No me cabe la menor duda.

—Muy bien. ¿Diría que Dios lo está llamando ahora a salir del ministerio? ¿Le está pidiendo que se marche?

—No.

—¿Está seguro de que se quiere marchar?

Owen se sintió agitado.

—Bueno, estoy ahogado por completo en deudas. ¡*Tengo* que renunciar! ¿Cómo puedo hacer otra cosa?

—Comprendo. Sin embargo, ¿le ha pedido Dios que se marche?

Una larga pausa.

—No.

Mientras se desarrollaba ese pequeño drama, los otros hombres escuchaban embelesados. Y yo me había olvidado del que estaba al frente de todo, pero que no se quería llevar la mano a la oreja para llamar mi atención.

—¿Qué tiene pensado hacer? —le pregunté a Owen.

Y entonces, el Espíritu de Dios entró en el lugar... se produjo una notable conciencia de que su presencia estaba entre nosotros con paz y poder. Entre los demás, había muchos que luchaban con sus propias emociones.

A Owen se le llenaron los ojos de lágrimas. Entonces, haciendo un gran esfuerzo, me dijo:

—No debo renunciar, a menos que Él me diga que renuncie. No lo voy a hacer.

—Pero entonces, ¿qué me dice de su deuda de dieciséis mil dólares? —le pregunté queriendo probar la firmeza de su decisión.

—No, no voy a renunciar —me repitió decidido.

Nos dimos la mano ante su decisión, y cuando pedí que un grupo de hombres del público se reuniera a su alrededor y orara, una gran cantidad de hombres lo rodearon. Derramaron sus corazones en su oración por Owen. Después, lo oímos a él mientras hacía una oración humilde y llena de emoción, en la que se consagraba de nuevo a su llamado.

Los hombres comenzaban a regresar poco a poco a sus asientos, cuando alguien habló.

—¡No es justo! —exclamó. Era el hombre que estaba a cargo de la reunión—. Este hombre tiene una deuda de dieciséis mil dólares. Mi esposa y yo le vamos a dar mil dólares. ¿Qué van a hacer ustedes?

Miró alrededor del salón. Me miró a mí.

—¿Y *usted*, qué va a hacer? Usted es el orador.

No dije nada mientras todos pensaban en el desafío que les había lanzado. Entonces, sin decir una palabra, los hombres comenzaron a abrir sus billeteras. Uno a uno, se fueron acercando a Owen con sus contribuciones. Yo también. En unos minutos, Owen tenía ya sus dieciséis mil dólares.

Owen se había quedado sin habla, impresionado ante lo que hizo Dios, y el resto de nosotros estábamos agradecidos por haber participado en aquello. ¡Qué experiencia tan inolvidable!

De pie junto a él en el pasillo, le dije:

—¿Reconoce el orden en que acaban de pasar las cosas? ¿Qué tuvo usted que decidir antes que Dios le diera el dinero?

—Que no iba a renunciar, a menos que Dios me ordenara que lo hiciera.

—Cuando tomó la decisión de serle leal a Dios —le dije—, el poderoso brazo de Dios se extendió hacia usted desde el cielo. ¿Reconoce quién fue el que provocó esta prueba?

—Fue Dios. Estaba poniendo a prueba mi lealtad —me dijo Owen.

—¿Y qué tal le fue en la prueba?

—Faltó poco para que no la pasara.

—Sí, pero la pasó —le dije—. ¿No es interesante que Dios me enviara aquí la misma noche en que usted iba a renunciar y me diera un impulso sobrenatural, dos veces, porque no quería que usted fracasara en la prueba? ¡Y que moviera a todos estos hombres a colaborar para satisfacer su necesidad!

Nunca volví al mensaje que llevaba preparado para esa noche. Estaba claro que Dios tenía en mente algo mejor. Al milagro para Owen le siguieron milagros personales para otros dos hombres que llevaron a ese salón con un propósito. Sin embargo, al fin y al cabo, lo mismo nos sucedía a todos nosotros. Dirigieron nuestros caminos hacia ese lugar, no por un programa ni para oír a un orador, sino para observar todos unidos a Dios en acción de maneras poderosas, personales y sobrenaturales.

Tengo que admitir que toda aquella experiencia se llevó más de los treinta minutos. Aun así, el hombre encargado de todo nunca se llevó la mano a la oreja.

Un pequeño cambio en nuestra manera de pensar

¿Cuántas veces piensas que has estado en una situación en la que Dios quería con urgencia hacer algo sobrenatural, algo inexplicable y mayor que todo lo que te pudieras imaginar, pero no sucedió porque alguien se empezó a tocar la oreja?

Tal vez ese alguien fueras tú mismo.

Te conté la historia del retiro de hombres con bastantes detalles, porque ilustra la clase de milagros personales que a Dios le encanta hacer y va a hacer cuando dispone de un «repartidor» bien dispuesto y receptivo. Esta historia también nos muestra cómo un pequeño cambio en nuestra forma de pensar acerca del poder del Espíritu puede tener unas consecuencias enormes y perdurables. Piensa en lo cerca que estuve de perderme el milagro que Dios le hizo a Owen por medio de mí. ¡Qué fácil me habría sido encontrar alguna explicación convincente para los impulsos de Dios y seguir adelante con mi charla, de acuerdo con lo planificado! El resultado habría sido una reunión perfectamente estupenda donde habría ministrado, ¿pero habrían sido tan inolvidables la gloria y el poder de Dios que se manifestaron allí? ¿Se habría resuelto esa necesidad tan crítica que tenía Owen? No es probable.

Entonces, ¿qué cambió las cosas?

Nada que tuviera de especial, te lo aseguro. La diferencia tuvo que ver por completo con lo que sé acerca del poder milagroso de Dios, quién tiene acceso a él y cómo nos ayuda a realizar su labor.

En mis viajes por el mundo, he notado que muchos de los seguidores de Cristo

> *La historia nos muestra cómo un pequeño cambio en nuestra forma de pensar acerca del poder del Espíritu puede tener unas consecuencias enormes.*

parecen saber muchas cosas acerca del Espíritu de Dios, pero pocos comprenden la forma de asociarse de una manera práctica con Él para producir un milagro personal en alguien. He visto muchos que anhelan tener más del Espíritu y, sin embargo, se resisten de manera activa a asociarse con el poder que Él tiene en sus vidas.

En este capítulo quiero ayudarte a ver algunas cosas que tal vez hayas pasado por alto con respecto al poder de Dios. Tengo la esperanza de que veas y experimentes lo que vieron y experimentaron los hombres que estaban en el salón con Owen esa noche. Fue una noche en la que despertaron a la esperanza de que unos seres humanos comunes y corrientes pueden asociarse de una manera activa de verdad con Dios para realizar lo milagroso. Y se fueron a sus casas decididos a ser más que unos simples testigos de lo que hace Dios. Querían ser agentes suyos que les supieran entregar sus milagros a otros.

Este libro lo escribí para despertar en ti esa misma esperanza y esa misma ilusión. Nunca estamos más plenamente vivos y completos que cuando sabemos que Dios está obrando por medio de nosotros, y a pesar de nosotros, de una manera que va a transformar la vida de alguien delante de nuestros propios ojos. No hay nada comparable a la maravilla de ver cómo se abren paso la bondad y la gloria de Dios, y saber que nosotros hemos desempeñado un papel en lo sucedido.

Comencemos por lo que dijo Jesús acerca del poder sobrenatural de Dios.

Dios en movimiento

Una de las últimas cosas que Jesús hizo con sus amigos antes de regresar al cielo fue entregarles la descripción de la tarea que les encomendaba. Fue muy breve:

Vayan en mi nombre al mundo entero... y hagan cosas imposibles.

Encontrarás la misión entera en Mateo 28:18-20 y en Hechos 1:4-8, ¿pero te has preguntado alguna vez cuál fue la reacción de los apóstoles? Pienso que tal vez tuvieran dos reacciones opuestas al mismo tiempo. Por una parte, me parece que querrían decir: «¡Por favor, Señor, no! Es imposible. Mira nuestras limitaciones. Mira nuestros fallos».

Y por otra parte, también pienso que estarían ansiosos por comenzar. Ya habían aprendido mucho del Maestro, y la misión que les encomendaba era gloriosa hasta lo indescriptible. ¿Por qué no ponerse a trabajar enseguida?

¿Cómo habrías reaccionado tú?

Quiero que comprendas que estas dos reacciones tienen sus raíces en el mismo malentendido acerca de la verdadera forma en que trabaja esta asociación con el cielo.

Y esto es lo que explica la indicación que Jesús les hizo después a sus amigos:

Esperen[1].

Sin embargo, ¿esperar qué? Mira la forma en que Jesús les explicó de qué manera lo imposible se convertiría en lo normal en un futuro cercano:

Recibiréis poder, cuando haya venido sobre vosotros el Espíritu Santo, y me seréis testigos [...] hasta lo último de la tierra[2].

Es posible que la palabra griega traducida aquí como «poder» te resulte conocida: *dunamis*. Como quizá ya te hayas dado cuenta a partir de sus derivados en español (*dinamita* y *dinámico*, por ejemplo), *dunamis* identifica a una cierta clase de poder. No un poder en potencia, como sería el del aire en calma o el agua estancada, sino el poder en movimiento. Un poder como el de un viento con fuerza de galerna o como el de las cataratas del Niágara. *Dunamis* significa poder en acción.

Cuando Jesús les dijo a sus seguidores que esperaran la *dunamis* del cielo, el mensaje estaba claro: Lo que les voy a enviar a hacer a ustedes, no lo podrán hacer con su propio poder. Solo lo podrán hacer cuando mi poder se mueva a través de ustedes.

Así que espérenlo.

Los discípulos captaron el mensaje. Esperaron. Entonces, cuando el Espíritu vino con poder, el mundo cambió. Si has leído las historias de la iglesia primitiva en Hechos, sabes a lo que me refiero. Ahora todos los creyentes tenían siempre el Espíritu, no solo habitando en ellos para renovarlos y consolarlos, sino obrando por medio de ellos a fin de cumplir los deseos del cielo para las personas necesitadas.

Lo que sucedió después fue milagroso.

Imagínate las historias contadas alrededor de la mesa de la cena por las noches.

«Felipe, cuando seguiste el impulso de Dios, te fuiste al desierto y aquel personaje tan importante recibió la salvación... ¡Nunca olvidaré eso!»

«Pablo, cuando te paraste en la plaza del pueblo para hablar de Cristo y la gente te tiraba piedras, pero algunas personas te escucharon y muchos creyeron... ¡Nunca olvidaré eso!»

«Rode, cuando gritaste: "¡Pedro está en la puerta!", aunque teníamos la seguridad de que estaba en la prisión... ¡Nunca olvidaré eso!»

El poder de Dios, la *dunamis* del Espíritu, obraba a través de ellos para realizar cosas que nunca habrían podido hacer por su propia cuenta.

Es fácil leer los relatos de la iglesia primitiva y dar por sentado que esa gente era especial viviendo en días también especiales. Al fin y al cabo, algunos de ellos caminaron con Cristo. Algunos eran apóstoles. Tal vez por eso hay tantos hoy que piensan que no pueden tener la esperanza de asociarse con lo sobrenatural de una manera similar.

Ahora bien, ¿es cierta esta suposición? Escucha las francas observaciones que hace uno de los apóstoles acerca de lo distintas que hacía las cosas el ser «especial»:

Así que, hermanos, cuando fui a vosotros para anunciaros
el testimonio de Dios, no fui con excelencia de palabras o de
sabiduría [...] Y estuve entre vosotros con debilidad, y mucho
temor y temblor; y ni mi palabra ni mi predicación fue con
palabras persuasivas de humana sabiduría, sino con demostración
del Espíritu y de poder, para que vuestra fe no esté fundada en la
sabiduría de los hombres, sino en el poder de Dios[3].

¿Debilidad y mucho temor y temblor? Sin duda, Pablo sabía que no podría tener éxito en su ministerio solo con su propio esfuerzo o habilidad. Aun así, Pablo había comprendido algo asombroso. Veía que lo que hacía en realidad su debilidad era abrir un espacio, *crear la oportunidad para un milagro*, a fin de que Dios manifestara su poder sobrenatural.

Permíteme juntar todos estos hilos.

Jesús nos encomendó a cada uno de sus seguidores, desde los primeros discípulos hasta tú y yo, que hiciéramos por los demás lo que no podemos hacer solos. Es demasiado para nosotros. No obstante, el cielo ha liberado la *dunamis* de Dios para que obre en nosotros y por medio de nosotros. Cualesquiera que sean nuestras limitaciones humanas, cuando aprendamos a ser socios del cielo, veremos que *nacimos para lograr por medios sobrenaturales lo que Dios quiere que se haga*.

«¡Abre esa puerta, por favor!»

El primer indicio que tuve de que mi amigo John era un gran candidato para las misiones de milagros se produjo cuando oí decir que les llevaba el mensaje de *La oración de Jabes* a los hombres que estaban en prisión. En especial, les quería enseñar a los presos a ser deliberados en cuanto a pedirle a Dios que ensanchara de manera sobrenatural su territorio para Él. Solo un hombre que comprende el asombroso poder de Dios intentaría semejante aventura tras las rejas.

John, un empresario con un gran corazón, había estado visitando a los hombres de una prisión local durante años. «Considero que es lo más importante de todo lo que hago en la semana», me escribió. Sentía que con la ayuda de Dios les había podido hacer mucho bien a esos hombres. Sin embargo, quería hacer más. Quería hacer la obra del ministerio con el impacto de los milagros.

¿Qué sucedería, se preguntó John, si les enseñaba a los presos a ser decididos en cuanto a invitar a Dios para que intervenga por medio de ellos de maneras sobrenaturales?

En *La oración de Jabes*, sugiero una pregunta al que ministra: «¿Cómo puedo ayudarte?». En mi vida, esta pregunta me ha llevado muchas veces a la oportunidad de un milagro.

«No tenía idea de cómo Dios usaría esta idea», escribió John. «Sin embargo, los hombres comenzaron a practicar la pregunta: "¿Cómo puedo ayudarte?". Ya se puede imaginar las bromas que andaban por allí. "Gracias. ¿Podrías abrirme esa puerta, por favor?"»

Por razones que John no podía explicar, su clase creció de doce hombres a veintisiete. Aun detrás de las rejas, o tal vez *porque* estaban tras las rejas, los hombres parecían motivados con la idea de que el poder de Dios también estaba a su disposición. Comenzaron a correr el riesgo de invitar a Dios a obrar de maneras sobrenaturales. Los presidiarios más empedernidos comenzaron a aceptar a Cristo como Salvador. Un hombre que había tenido choques continuos con presos de otra procedencia étnica comenzó a deslizarles notas de aliento por debajo de la puerta durante la noche.

Un día, John le preguntó a Terrence, un recién llegado a la clase: «¿Como te puedo ayudar?».

Terrence no lo dudó ni un instante. «No he visto a mi hija desde que tenía tres años», le dijo. «Y su mamá no se quiere comunicar conmigo. Destruye mis cartas, y temo que mi hija nunca me llegue a conocer. Para mí la mayor cosa del mundo sería ver a mi hija. ¿Me puede ayudar en esto?»

Cuando terminó de hablar, tenía los ojos llenos de lágrimas. Y a John el corazón le dio un vuelco: no tenía ni idea de cómo ayudarlo. Después de hablar acerca de varias ideas, ambos decidieron que en realidad no tenían opción alguna.

«Decidimos que el único que nos podría ayudar era Dios», recuerda John. «Así que oramos juntos. Le pedí a Dios que interviniera en favor de Terrence y trajera a su hija para que lo visitara».

Terrence aceptó escribir otra carta una vez más, pidiéndole a la madre de su hija que lo fueran a visitar. Después esperaron para ver lo que haría Dios.

Al domingo siguiente, cuando regresó John, Terrence no había oído nada de ellas, tal como fueron las cosas en tiempos anteriores. Aun así, lo que no sabían entonces era que su carta la entregaron y que la madre y la hija ya hacían planes para irlo a visitar.

Es más, el mismo domingo siguiente, Terrence vio a su hija por vez primera en años. Así pudo restablecer una relación con su familia, y desde ese día, ha podido ver a su hija con regularidad.

El osado experimento de John, asociándose con Dios en busca de milagros, ha seguido produciendo transformaciones. «Dos hombres recibieron un dinero que no esperaban. Otros dos están organizando ministerios a tiempo completo para cuando los pongan en libertad», me decía John. «Y otro más ha hecho planes para trabajar en un campamento de jóvenes como parte de su rehabilitación».

También John ha cambiado. «He aprendido que ayudar a otras personas a experimentar milagros personales es el estímulo más maravilloso que se puede recibir en este mundo».

¿Qué es un milagro personal?

¿Puedes ver qué separa la experiencia de John en su ministerio de muchas otras clases de buenas obras para Dios? A mí me parece que es lo mismo que separó mi ministerio en aquel retiro de hombres, de un culto típico, desarrollado de una manera previsible.

- Nos asociamos a propósito con el Espíritu de Dios, nuestro éxito dependió de Él, de unas maneras que desplegaran su carácter y su gloria cuando Él atendiera de forma sobrenatural a las necesidades.

- Dimos un paso de fe para hacer la obra de Dios en un contexto donde el fracaso era seguro, a menos que quien actuara fuera Él.

- Corrimos los riesgos basándonos en nuestra creencia de que Dios *quería* manifestarse y que *se manifestaría* de maneras milagrosas. Y Él lo hizo.

Uso la expresión *milagro personal* para describir lo que sucede cuando uno ayuda a otra persona valiéndose de la confianza deliberada en el poder de Dios, a fin de suplir esa necesidad individual. ¿Por qué los llamo milagros personales?

En primer lugar, porque casi siempre la clase de milagros de los que estoy hablando se completan en el corazón de la persona. Aunque el milagro mismo queda evidenciado por algo palpable (Owen recibe de unos desconocidos la cantidad de dieciséis mil dólares, Terrence recibe una visita de su hija que no había visto en largo tiempo), es evidente que Dios también hace una obra dentro del corazón de la persona.

En segundo lugar, los llamo milagros personales porque el propósito de Dios cuando hace un milagro es siempre el mismo: satisfacer las necesidades de una persona.

Y por último, la palabra *personal* describe con precisión el aspecto del carácter de Dios que se revela mediante esta clase de milagros. Cuando Dios se toma el tiempo necesario para intervenir en nuestro día con el fin de satisfacer una necesidad de una forma especial que es significativa para nosotros en particular, reconocemos la forma tan íntima en que Él nos conoce y nos ama.

Un milagro personal es también lo que la Biblia llama una buena obra. A pesar de eso, no todas las buenas obras son milagros. Te lo explicaré.

La mayoría de los cristianos conocen lo importante que es expresar su fe a través de actos deliberados de servicio a los demás. Las buenas obras de todos le importan mucho a Dios. Tal como Pablo nos recuerda, hemos sido «creados en Cristo Jesús para buenas obras, las cuales Dios preparó de antemano para que anduviésemos en ellas»[4].

No obstante, lo que quiero que veas es que las buenas obras hechas con tus propios esfuerzos son buenas y necesarias, pero muchas veces no son suficientes. Y no me refiero a nuestra incapacidad para abrirnos paso hasta una relación salvadora con Dios. Lo que quiero decir es que entre las buenas obras para las que nacimos tú y yo hay una amplia gama de realizaciones que son muy importantes para Dios, que Él nos ha encomendado que hagamos para Cristo... *y que nos es del todo imposible hacer si su poder sobrenatural no obra a través de nosotros.*

Piensa en la relación entre las buenas obras y los milagros personales de tu vida en función de dos ecuaciones:

Tus buenas obras para Dios = ministerio

Tu ministerio + el poder sobrenatural de Dios = milagros

Para un milagro personal, debes decidir asociarte de manera activa con el poder sobrenatural de Dios, a fin de hacer lo que ninguna de tus buenas obras podría hacer. A todos los seguidores de Cristo nos han invitado a entrar en esta maravillosa asociación con el cielo. Es un cometido unido, aunque desigual, entre humanos débiles y un Dios extraordinario para llevar a cabo su agenda a su manera, en su momento, mediante su poder y para su gloria.

Esta asombrosa asociación cambia lo que hacemos, cómo pensamos y lo que sabemos que es posible. Terminamos decidiendo que es perfectamente natural que esperemos milagros tras las rejas de una prisión. Nos detenemos en medio de una frase, porque Dios nos muestra que en la cuarta fila, junto al pasillo, hay un hombre que siente que Él lo ha olvidado.

Estamos preparados por completo para ir hasta los confines de la tierra.

Abre tus ojos

He notado que cuando alguien comienza a vivir todos los días en una colaboración activa con el Espíritu, sucede algo asombroso: reconoce de inmediato la clase de vida que Dios quiere para él. Ve cumplida allí mismo, frente a sus ojos, la *dunamis* prometida por Jesús y la diferencia es tan enorme que se pregunta cómo es posible que se la hayan perdido durante tanto tiempo.

Sin embargo, ese es el problema. ¡Puedes ser cristiano durante años y perdértelo por completo!

Creo que esto explica la preocupación tan poco usual de Pablo con respecto a esta misma cuestión. La describe como un problema de iluminación. Tú necesitas iluminación cuando hay una verdad fundamental y transformadora que se encuentra a centímetros de distancia, pero no la puedes ver. Y si no la ves, no la puedes vivir. Pablo comprendía que alguien puede tener una fe genuina en Cristo y, con todo, no comprender en absoluto cómo debemos realizar los negocios del cielo en realidad.

> *Ese es el problema. ¡Puedes ser cristiano durante años y perdértelo por completo!*

Por los creyentes en Éfeso, oraba:

Pido que [...] les sean iluminados [«iluminado»: existe la palabra clave] *los ojos del corazón para que sepan* [tengan una percepción mental clara de] *a qué esperanza él los ha llamado [...] y cuán incomparable es la grandeza de su poder* [«poder»: eso es *dunamis*] *a favor de los que creemos. Ese poder* [de nuevo *dunamis*] *es la fuerza grandiosa y eficaz que Dios ejerció en Cristo cuando lo resucitó de entre los muertos*[5].

Esta es mi oración para ti también: que te sean iluminados los ojos de tu entendimiento para que veas tu potencial de milagros. Si no ves la verdad acerca del poder de Dios, llegarás a una conclusión sensata, pero costosa: «No nací para hacer las obras de Dios mediante su poder».

En lugar de eso, ¿verás y aceptarás la verdad?

Esta es la diferencia entre la vida como la conoce la mayoría de la gente y tu vida como Dios quiere que sea.

Esta es la diferencia entre un admirable esfuerzo humano, incluso bendecido por Dios, y la vida impregnada de lo sobrenatural.

Esta es la diferencia entre sentirte bien en cuanto a lo que hiciste para ayudar a otros y que otros se sientan maravillados por lo que Dios ha hecho en su favor por medio de ti.

Todo este libro trata acerca de esa diferencia pequeña y enorme a la vez.

3

Tras el velo del cielo

*Tú naciste para ser un eslabón viviente
entre el cielo y la tierra*

Si te preguntara qué crees que está pasando en el cielo en este mismo momento, ¿qué me responderías?

Le he hecho esta sencilla pregunta a gente religiosa y no religiosa, educada y no educada en el mundo entero. Y como la mayoría de la gente cree en la existencia del cielo, las ideas tienden a aparecer con rapidez.

Me hablan de ángeles, de arpas, de Dios sentado en su trono, de mucha alabanza y adoración. Otros mencionan unos estados más elevados de conciencia. Sin embargo, es poco lo que les viene a la mente que tenga que ver con la acción.

«¿Se hacen allá arriba algún tipo de reuniones de comités?», les pregunto. «¿O de sesiones para planificar estrategias?»

La gente se ríe. Piensa que bromeo.

«¿Qué me dices de Dios? ¿Trabaja en algo? ¿Qué tal si Dios pida opiniones en asuntos importantes? ¿Acaso el cielo tendrá algo parecido a una agenda del día?»

La gente no cree que la haya.

Me encanta observar los rostros cuando hago preguntas como esas. (Parecen un poco exageradas, ¿verdad?). Sin embargo, las respuestas que escucho son muy reveladoras. Lo cierto es que la mayoría de la gente piensa que Dios solo escucha canciones de adoración. Cada vez que pregunto: «¿Y qué hace Dios cuando termina de escuchar?», se me quedan mirando con los ojos fijos en el vacío. Para ellos, el cielo es un buen lugar hoy en día, aunque no es demasiado emocionante. Es un lugar en suspenso, una sala de espera celestial para ángeles y tías abuelas. Y lo que allí suceda no afecta en realidad lo que sucede en la tierra.

Ahora bien, ¿y si descubrieras que el ámbito espiritual del cielo y el material de la tierra se hallan enlazados de un modo activo en miles de millones de maneras? ¿Y si descubrieras que Dios está obrando con intensidad en estos mismos momentos en tareas que a Él le interesan en gran medida y que anda siempre en busca de voluntarios que lo ayuden?

Quiero descorrer el velo del cielo con el fin de revelar lo que Dios está haciendo ahora mismo para conectarse con las personas necesitadas de la tierra.

Terminamos el segundo capítulo con algunas promesas: Tú naciste para entregar los milagros de Dios. Puedes aprender la manera de asociarte con el cielo para hacer la obra sobrenatural de Dios en la tierra. Y todo esto puede suceder hoy.

Si estas posibilidades te intrigan, este capítulo te mostrará algo asombroso: Dios quiere más que tú mismo que experimentes un milagro hoy. Para demostrarte por qué esto es cierto, quiero descorrer el velo del cielo con el fin de revelar lo que Dios está haciendo ahora mismo para conectarse con las personas necesitadas de la tierra.

Visión de esnórquel

Si has usado uno de estos tubos de buceo alguna vez en aguas tropicales, sabrás que si lo llevas bien puesto, podrás ver un mundo a través de la parte inferior de tu careta y otro por la parte superior. Con la mitad de abajo, verás un mundo de agua lleno de corales y de peces de colores. Con la mitad de arriba, verás el cielo.

En 1 Reyes 22, vemos una experiencia similar. Un versículo nos muestra lo que sucede en la tierra. El versículo siguiente nos muestra lo que sucede al mismo tiempo en los atrios del cielo. Pienso que aquí verás evidencias de una conexión entre el cielo y la tierra que revolucionará tu manera de ver el mundo.

Lo que transcurre en la tierra durante este capítulo de la Biblia, es un momento decisivo en la historia de Israel. Un rey despiadado y corrupto llamado Acab está tratando de tomar una decisión. ¿Debe entrar en batalla contra Siria o no? Sus consejeros, todos adoradores de ídolos y no de Dios, le han dicho que marche en dirección norte para entrar en batalla, porque su victoria está garantizada. Sin embargo, Acab titubea. Quiere una confirmación de una fuente externa. Por recomendación de un amigo, manda a buscar a un profeta de Dios.

Se llama Micaías. Muy pronto, Acab se da cuenta que Dios le ha concedido a este hombre casi desconocido una visión de esnórquel: aunque vive en la tierra, puede ver directamente el cielo. Es más, observa y escucha, mientras Dios responde al momento la pregunta de Acab.

Observemos con él:

> *Yo vi a Jehová sentado en su trono, y todo el ejército de los cielos estaba junto a él, a su derecha y a su izquierda. Y Jehová dijo: ¿Quién inducirá a Acab, para que suba y caiga en Ramot de Galaad? Y uno decía de una manera, y otro decía de otra. Y salió un espíritu y se puso delante de Jehová, y dijo: Yo le induciré. Y Jehová le dijo: ¿De qué manera?* [1].

¿Te das cuenta de lo que sucede en el cielo? Casi se podría decir que se trata de una reunión de negocios. Dios quiere rescatar a Israel de su malvado rey, pero está dispuesto a aceptar ideas sobre la manera de lograrlo.

Cuando el espíritu (o ángel) le propone engañar al rey por medio de sus consejeros, Dios no solo aprueba la idea, sino que le promete el éxito[2].

En la tierra, Micaías le advierte a Acab que engañaron a sus consejeros. Aun así, el rey decide escucharlos de todas formas. Confiado, marcha hacia el norte contra Siria, solo para morir en la batalla[3].

Sin embargo, espera un momento, podrías estar pensando. *¿Cómo este incidente histórico me ayuda a saber de qué manera puedo asociarme al cielo para entregar un milagro?*

Te lo mostraré. Puesto que todo milagro que viene de Dios comienza en el ámbito sobrenatural, lo primero que necesitamos es saber cómo funciona el cielo. Lo cual nos trae de vuelta a Micaías. La forma tan extraordinaria en que pudo ver tras el velo del cielo demuestra que existe una clara conexión entre los sucesos del cielo y los sucesos que se producen de forma simultánea en la tierra.

Además, revela dos sorprendentes ideas acerca de lo que Dios está haciendo ahora mismo que podrían cambiar por completo tu manera de pensar en cuanto a tu potencial para los milagros. Lo hicieron conmigo.

Comencemos por el primero.

La agenda de Dios

¿Será acaso que Dios tiene trabajo por hacer y que trabaja ahora mismo en una agenda, una especie de lista de cosas que necesita hacer en el día?

El profeta ve que Dios está rodeado por «todo el ejército de los cielos [que] estaba junto a él, a su derecha y a su izquierda». Por otros lugares de las Escrituras sabemos que los ejércitos celestiales están compuestos por millones de ángeles. Al menos en esta escena, ninguno está cantando. A mí me parece como si Dios los hubiera convocado a una reunión. Quiere influir sobre el día de alguien en la tierra y, aunque no lo creamos, está dispuesto a escuchar sugerencias acerca de la forma de lograrlo.

Mientras que la mayoría de nosotros piensa que Dios aún sigue descansando después de lo agotadora que fue la semana de la creación, la Biblia nos muestra una imagen diferente. Dios tiene una agenda en tiempo real que se desarrolla ahora mismo en la tierra.

¿Dios con una agenda? Las consecuencias de esto son profundas.

Sin embargo, Jesús demostró que esto es cierto. A los que lo criticaban por sanar a un hombre en el día de reposo, les dijo: «Mi Padre aun hoy está trabajando, y yo también trabajo»[4]. Sin duda, revelaba con claridad que su obra de sanar en el día de reposo era una continuación de la obra constante que realiza Dios en la tierra.

Luego, Jesús describe una activa asociación:

> No puede el Hijo hacer nada por sí mismo, sino lo que ve hacer al Padre; porque todo lo que el Padre hace, también lo hace el Hijo igualmente. Porque el Padre ama al Hijo, y le muestra todas las cosas que él hace [5].

Es decir, que durante el tiempo que Jesús vivió sobre la tierra, el Padre y el Hijo estuvieron trabajando de manera ardua en esa agenda del cielo. Dios intervino en los asuntos humanos, ¡y se produjeron unos milagros asombrosos!

Puesto que Jesús ya no está en la tierra, necesitamos preguntar a quién anda buscando Dios ahora para terminar su agenda. Lo que Micaías vio detrás del velo también puede cambiar nuestra forma de pensar acerca de esto.

Sin duda, tal parece que Dios está buscando un voluntario. Además, es obvio que está dispuesto a recibir sugerencias.

Visitemos de nuevo la escena con más detalle.

Dentro de la Central de Misiones

El profeta ve que Dios está celebrando una reunión. Se convocaron a los ejércitos celestiales para una sesión de estrategia. «¿Quién inducirá a Acab, para que suba [a la batalla]?» Dios lo quiere saber. Sin duda, tal parece que Él está buscando un voluntario. Además, es obvio que está dispuesto a recibir sugerencias. Mientras Micaías observa, se adelanta un ángel y se ofrece de voluntario. Le dice que tiene en mente una estrategia que va a persuadir a Acab.

«¿De qué manera?», le pregunta Dios.

Cuando el ángel le cuenta a Dios sus planes, él los aprueba y lo envía para que los ponga en práctica. «Le inducirás, y aun lo conseguirás», le dice. «Ve, pues, y hazlo así».

Lo cual nos lleva a la segunda sorpresa:

¿Acaso no será que deberíamos pensar en el cielo hoy como una especie de Central de Misiones donde, de manera activa, Dios busca y envía voluntarios dispuestos a llevar a cabo su agenda en la tierra?

Por las Escrituras, sabemos que Dios tiene tres opciones para conseguir que se haga algo en la tierra:

* *En Persona, como cuando le dictó los Diez Mandamientos a Moisés.*

* *Por medio de un ángel, como cuando el ángel Gabriel le anunció a María el próximo nacimiento de Jesús.*

Sin embargo, de acuerdo con las Escrituras y la historia, debemos concluir que Dios ha escogido estas opciones pocas veces. Eso deja:

* *Por medio de un ser humano.*

Piénsalo: hoy, mañana y pasado mañana, nuestro todopoderoso Dios va a estar tomando la decisión de obrar por medio de gente común y corriente para lograr que se haga en la tierra lo que Él decidió en el cielo que quiere hacer.

Si Dios está tan decidido a hallar voluntarios, tiene sentido que les quiera comunicar sus deseos a los seres humanos de cualquier lugar. Tiene sentido que la Central de Misiones les envíe nuestras peticiones, incluyendo las misiones de milagros, todo el tiempo a personas del mundo entero.

Entonces, eso no puede ser cierto.

¿O sí?

Señales enviadas y señales no recibidas

Cuando *La oración de Jabes* se encontraba aún en el primer lugar de la lista de éxitos de venta del *New York Times*, me invitaron a hablar en Hollywood en una reunión poco usual de personajes importantes dentro de la industria cinematográfica. El director de cine que me llamó me dijo que sus colegas, en su mayor parte agnósticos o ateos, no podían imaginarse por qué un libro sobre la oración se vendía más que los de Stephen King y de John Grisham.

«Llevo veintiséis años trabajando en este negocio, y esta es la primera vez que se invitó a un cristiano evangélico a hablar», me dijo cuando me recogió en mi hotel. «Me supongo que el público va a ser escaso, tal vez haya veinte o treinta personas».

Sin embargo, Dios tenía algo entre manos. Entramos en un auditorio repleto de al menos cuatrocientas personas. Acababa de comenzar a explicar la segunda parte de la oración de Jabes («¡Señor, ensancha mi territorio!»), cuando me interrumpió un hombre que se hallaba al fondo del salón.

—¡Tengo una pregunta! —me gritó—. ¿Cree usted en verdad que la oración da resultado?

—Sí, señor, lo creo.

—¿Siempre?

—Sí.

—¡Déjese de bromas!

Estaba claro que no había aceptado lo que decía.

—Ahora, permítanme hacerles una pregunta a todos ustedes —dije—. ¿Cuántos dirían que al menos una vez en su vida se sintieron claramente impulsados a detenerse para ayudar a una persona, pero no lo hicieron?

Casi todos los que estaban en el salón levantaron la mano. De manera instintiva, reconocían que una fuerza sobrenatural les había insinuado que hicieran algo.

—Por eso, Dios siempre responde la oración de una persona que quiera hacer más cosas para Él —les dije a mis oyentes—. ¡Porque Dios nos da esos impulsos a todos, pero casi todos le decimos que no!

¿Estás comenzando a ver por qué puedes participar de tantos milagros como quieras para Dios? Alrededor de nosotros,

Aprenderás a ser un eslabón vivo entre el cielo y la tierra, reconociendo la oportunidad para un milagro justo delante de ti, donde otros no ven nada en lo absoluto.

por todas partes, Dios tiene trabajos urgentes que realizar. Así que siempre anda en busca de voluntarios que se asocien con Él. Y no se trata de una simple búsqueda pasiva; Él está enviando solicitudes de forma activa, constante y apasionada.

Más adelante te mostraré cómo los agentes de milagros pueden desarrollar nuevas sensibilidades, o redescubrir otras que han quedado sepultadas, que les van a ayudar a mantenerse en sintonía con las intenciones de Dios. Por ejemplo, en el capítulo 8 hallarás unas enseñanzas útiles acerca de las señales específicas con respecto a los milagros que nos vienen de Dios, de otras personas e, incluso, de nosotros mismos. Al aprender a leer esas señales con eficacia, aprenderás a ser un eslabón vivo entre el cielo y la tierra, reconociendo la oportunidad para un milagro justo delante de ti, donde otros no ven nada en lo absoluto.

A estas alturas, quizá te estés preguntando por qué alguien habría de perderse las invitaciones a los milagros que nos envía el cielo. En mi experiencia, los cristianos de mucho tiempo son susceptibles en especial a perdérselas, debido a un malentendido muy común acerca de las motivaciones de Dios.

Sufrí de eso por años.

La oración (ferviente) por algo errado

Una mañana temprano, le pedía de nuevo a Dios que hiciera un milagro en la vida de un amigo mío. Mi parte (pensaba) era persuadir a Dios para que respondiera a lo grande. En concreto, le pedía a Dios de manera encarecida que me usara para entregar ese milagro a la vida de mi amigo. ¿Qué podría hacer o decir que convenciera a Dios y liberara su favor? ¿Qué clase de intensidad o desesperación haría falta de mi parte para captar la atención de Dios?

De repente, en medio de la oración, me sentí movido a no decir ni una palabra más. En lugar de eso, me sentí atraído a reflexionar en silencio sobre las suposiciones que se escondían debajo de mis oraciones. ¿Qué me decían que creyera *de verdad* acerca de Dios y su deseo de actuar? ¿Qué revelaban acerca de la forma en que pensaba que Dios escuchaba mis oraciones en ese mismo momento?

No hizo falta mucho tiempo para que saliera a la superficie mi verdadera teología acerca de la oración. Sin duda, creía que Dios estaba renuente a hacer milagros. Por eso, necesitaba tratar de persuadirlo, darle una razón tras otra, día tras día, para que por fin cediera y se decidiera a actuar.

En medio de estos pensamientos, me vino a la mente un conocido versículo bíblico:

El SEÑOR recorre con su mirada toda la tierra, y está listo para ayudar a quienes le son fieles [6].

Ahora bien, siempre había entendido que este versículo lo que significaba era que Dios quiere tener siervos fieles. Y por supuesto que los quiere tener. Aun así, por vez primera leí en esas palabras lo que me decían acerca de lo que Dios hace en el cielo en estos mismos momentos. ¿Lo puedes ver tú también?

Dios no es renuente ni desinteresado cuando se trata de manifestar su fortaleza. Al contrario, Él «recorre con su mirada toda la tierra» en busca de gente que le sea fiel. ¿Para qué? ¡Para poder revelar su poder sobrenatural en la vida de esa gente!

Permíteme resumir lo aprendido hasta este momento acerca de lo que es asociarse con el cielo para entregar un milagro:

- Dios obra sin cesar de maneras sobrenaturales en nuestro mundo, y son muchas las cosas que quiere que se hagan.
- Dios busca de forma activa unos socios que le sean fieles, personas que se interesen de manera constante en lo que le interesa a Él.
- Dios les insinúa a cada momento a las personas para que le respondan, pero muy pocos entienden sus intenciones o se limitan a decirle que no.

¿Qué aspecto adquiriría tu vida si le comenzaras a decir que sí? Te contaré una historia de la familia.

Una red de impulsos divinos

Cuando nuestra hija Jessica era adolescente, fue con un grupo en una misión a corto plazo en Europa. Tenían el propósito de ayudar a las iglesias locales a alcanzar a los jóvenes, pero en medio de su labor, Jessica descubrió que su ministerio más importante parecía tener que ver con Leila, una joven de su misma edad que pertenecía al grupo. Cuando las dos jovencitas se hicieron amigas, Leila comenzó a confiar en Jessica. Le dijo que sufría de abuso sexual a manos de un familiar. Jessica era la primera persona con la que se sentía lo suficiente segura como para revelarle lo que le sucedía.

Jessica la escuchó sorprendida. «Lo que sucede no es culpa tuya», le dijo a Leila. Entonces hizo que le prometiera que iba a conseguir ayuda de inmediato.

Poco después que Jessica volvió a los Estados Unidos, nuestra familia se mudó al África. Sin embargo, Jessica y Leila se mantuvieron en contacto por teléfono y por correo electrónico. Aunque las circunstancias en las que vivía Leila no mejoraban, se resistía a pedir ayuda. Entonces pareció desaparecer del mapa.

Una tarde, Jessica sintió con fuerza que la situación de Leila había alcanzado un punto crítico. No podía explicar ese sentimiento; ella y Leila no se habían comunicado durante todo un mes. Aun así, decidió actuar. Comenzó a llamar y enviar mensajes por el correo electrónico a una red de amigos cristianos, entre ellos algunos amigos del grupo que hizo el viaje misionero. Su mensaje urgente decía: «No sé por qué, pero creo que a mi amiga Leila le está sucediendo algo terrible. ¡Por favor, oren por ella ahora mismo!». Jessica no tenía idea de si Leila estaba bien o no, pero había decidido actuar de acuerdo con el impulso que sentía.

Al día siguiente, una amiga la llamó para darle la noticia. Dos horas después que sus amigos comenzaron a orar, Leila atentó seriamente contra su vida. Gracias a Dios, no lo había logrado.

«Estoy muy contenta de haber actuado de acuerdo con lo que sentía que Dios me decía», dice Jessica. «Creo que Leila está viva hoy gracias a las urgentes oraciones de nuestros amigos. Faltó tan poco para que perdiera la vida que se convenció de que tenía que romper el silencio y conseguir la ayuda que necesitaba».

Hoy en día, Leila es una joven llena de vida y tiene un matrimonio feliz.

¿Qué piensas que habría sucedido si Jessica hubiera decidido no seguir ese impulso procedente del cielo? Mi segunda historia ilustra lo que puede suceder cuando alguien prefiere pasar por alto lo que quiere Dios.

La consecuencia en una esquina

Hace algunos años, nuestro equipo creativo filmaba una película en Sudáfrica en pleno invierno. La historia se centraba en un niño zulú que se quedaba huérfano cuando sus padres y parientes morían todos de VIH/SIDA. Para sobrevivir, el niño deja su aldea y cae en una forma de existencia marginal en la que se tenía que defender solo por las calles de Johannesburgo.

Una mañana de invierno fría en especial, nuestro equipo tenía programado comenzar a filmar a las cinco de la mañana en una esquina determinada de una calle. El frío era tan intenso que los ayudantes de producción llegaron temprano para armar tiendas con calentadores de gas donde nos pudiéramos mantener con un poco de calor. Todos nos presentamos en la escena usando bufandas, guantes y abrigos gruesos, lo cual no es el atuendo que suele venir a la mente cuando se piensa en el África.

Cuando llegué esa mañana, ya había allí varios autos de la policía con las luces de emergencia encendidas. El equipo de filmación parecía encontrarse en el desespero más profundo. Le pregunté al director de fotografía qué estaba sucediendo.

«No puedo creer esto», me dijo con gran tristeza. «Anoche, aquí mismo, en la acera de enfrente, un niño desamparado murió congelado. Lo encontraron esta mañana».

Me quedé petrificado. Todos lo estábamos. Entonces, mientras meditábamos en lo sucedido, se abrió paso la terrible ironía.

Aquí estábamos para filmar una escena acerca de un huérfano desamparado, justo en la acera de enfrente un muchacho huérfano y desamparado murió porque nadie le dio una manta o un abrigo. Nadie le dio refugio.

Por último, le dije al equipo: «Ustedes no piensan que la muerte de ese niño refleje lo que hay en el corazón de Dios, ¿no es cierto?». A partir de lo que aprendiste en este capítulo, ¿qué piensas al respecto? ¿No dirías que Dios escuchó las oraciones de ese huerfanito, decidió intervenir y comenzó a insinuárselo a toda clase de personas para que ayudaran al niño? Sin embargo, nadie lo hizo.

Eso significaría que lo que Dios quería con toda urgencia que sucediera en Johannesburgo, no sucedió. Alguien, tal vez docenas de personas en distintos lugares durante los días anteriores, respondió con un «no» al impulso del cielo.

Una puerta marcada con un «sí»

En los primeros capítulos de este libro, vimos que a cada uno de nosotros nos crearon para nada menos que llevar una vida llena de milagros. No se trata de una existencia especial reservada para unos pocos selectos, sino que es para todos.

Vimos que la vida marcada por lo milagroso no solo es posible, ni siquiera es solamente deseable, sino que se halla en el centro mismo de la voluntad de Dios para cada uno de nosotros. Cuando nos contentamos con menos que eso, nuestra vida pierde su deleite, su realización y su propósito. Las necesidades personales de la gente con la que nos encontramos se pasan por alto. Las necesidades extremas que hay en nuestra comunidad y en el mundo entero quedan sin satisfacer. Cuando toda una generación se contenta con menos que eso, se ponen en tela de juicio el carácter y las motivaciones de Dios. Su resplandeciente presencia parece desvanecerse en el mundo.

> *Cuando toda una generación se contenta con menos que eso, se ponen en tela de juicio el carácter y las motivaciones de Dios. Su resplandeciente presencia parece desvanecerse en el mundo.*

Sin embargo, tú naciste para ser un eslabón viviente entre el cielo y la tierra. Naciste para ser embajador de Dios en el Territorio de Milagros Diarios, haciéndolo visible a Él de maneras inolvidables.

Los milagrosos contactos con el cielo que Dios quiere lograr vienen en todos los tamaños, pero en su mayoría serán de esa clase personal y cotidiana de la que tú puedes formar parte. ¿Por qué? Porque Dios anhela con pasión mostrarse fuerte por ti y por medio de ti, y porque cada persona con la que te encuentres tiene una necesidad importante que solo puede satisfacer Él.

En los próximos capítulos te mostraré cómo dar el paso hacia un estilo de vida repleto de milagros. Comienza recogiendo y poniendo en acción cuatro llaves para una vida de milagros previsibles.

La primera de esas llaves es la más sencilla y profunda. La encontrarás puesta en una puerta marcada con un «Sí».

Segunda parte

CUATRO LLAVES PARA UNA VIDA DE MILAGROS

Introducción a las llaves para una vida de milagros

Las siete llaves de milagros de las que hablo en *Tú naciste para esto* describen acciones concretas que liberan lo milagroso en nuestra vida. Cada una de estas llaves se basa en poderosos conceptos bíblicos acerca de la forma en que obra el cielo. Y cada una nos lleva a un avance en nuestro potencial a fin de asociarnos con Dios de una forma sobrenatural en su obra sobre la tierra.

Las siete llaves caen en dos grupos. Las llaves de la entrega especial (5-7) se aplican a necesidades específicas. Son acciones externas que tomamos y que conducen a un avance milagroso para otra persona. Las veremos en la cuarta parte del libro.

Las llaves para una vida de milagros (1-4), de las cuales hablaré a continuación, describen unas acciones internas que te prepararán para una vida de milagros. Cada llave para una vida de milagros se puede convertir en un hábito que cambiará de manera radical tu manera de ver el mundo y de asociarte con Dios en el ámbito de lo sobrenatural. Sin estas llaves, nos pararíamos en medio del Territorio de Milagros Diarios desconociendo por completo la manera de utilizar lo sobrenatural como una manera de vivir.

He aquí un breve adelanto:

La llave maestra es una oración urgente en la que le pedimos a Dios que nos envíe en una misión de milagros. Tu petición alerta al cielo de que solo estás disponible; estás comprometido a responder siempre que Dios te insinúe algo. Se llama llave maestra porque tu urgente súplica es la que abre la puerta a una vida de milagros.

La llave de la gente te prepara para el inevitable momento en el que la agenda del cielo choque con la tuya. Cuando utilizas esta llave, te avisas a ti y al cielo que decidiste tener también el mismo corazón que Dios hacia la gente. Debido a que ahora tienes su pasión por la gente, estarás preparado para entregarle los milagros a quienquiera que Él te indique y cuando Él te lo pida.

La llave del Espíritu te prepara para colaborar con el Espíritu de Dios, en especial con respecto a su poder sobrenatural. La acción de esta llave te libera de todas las falsas suposiciones acerca de tu capacidad para hacer milagros y te vincula con el poder sobrenatural que siempre se requiere para lograr un resultado milagroso. Cuando aprendas más acerca de la forma en que el Espíritu obra por medio de ti, comenzarás a confiar en Él cada vez con mayor fuerza.

La llave del riesgo te enseña a vivir de modo expreso de tal manera que corras riesgos por fe, confiado en que Dios realizará lo que quiere que se haga. Actúas confiando en Él, a pesar de los sentimientos que tengas de incomodidad o temor, seguro de que vas a salvar el abismo que existe entre lo que puedes hacer y lo que solo puede hacer Él por medio de ti. Cuando Él salve ese abismo con un milagro, se manifestarán su poder y su gloria.

Estas llaves son prácticas, factibles y bíblicas. Te ubican para que experimentes el poder sobrenatural de Dios con regularidad. Y como es obvio, también mejorarán tu relación con Él.

Esto nos lleva a una pregunta importante. ¿Por qué incluí aquí estas cuatro llaves y no otras?

Desde luego, las disciplinas espirituales como el estudio de la Biblia, el compañerismo continuo, los actos de servicio y la oración, junto con la consagración y la obediencia, son indispensables para el crecimiento cristiano. Sin embargo, escogí estas cuatro llaves porque abren cerraduras concretas, o hacen posible, que se vuelva realidad el potencial de una persona para asociarse con el cielo a fin de hacer la obra de Dios en la tierra. La prioridad que les he dado se basa en las enseñanzas de las Escrituras, en una abundante investigación y en mi propia experiencia ministerial.

No sugiero que estas sean las únicas acciones posibles que influyen en nuestro potencial para los milagros. Otras personas podrían sugerir unas alternativas o añadiduras valiosas. Aun así, estas llaves me han sido esenciales y muy significativas para mí, y también para muchos otros a lo largo de los años, y estoy seguro de que lo van a ser para ti.

Tal vez observes en particular que no menciono la oración como una de las llaves. Sin duda, la oración desempeña un papel especial en la entrega de los milagros, como verás en numerosas ocasiones dentro de este libro. Sin embargo, preferí no convertirla en una de las llaves, por varias razones. En primer lugar, porque ya se ha escrito mucho sobre este tema (incluyendo mis propias obras *La oración de Jabes* y *Secretos de la vid*). En segundo lugar, porque muchos usan de manera indirecta la oración para *evitar* la toma de medidas. Por ejemplo, cuando decimos: «Voy a estar orando por ti», muchas veces lo que queremos decir es que no tenemos intención alguna de ir más allá. Y en tercer lugar, el centro de atención más importante de todos en *Tú naciste para esto* se encuentra en lo que sucede cuando Dios responde a la oración de alguien, enviándonos para que entreguemos un milagro.

Ninguna de las llaves para una vida de milagros es una garantía de que experimentarás lo milagroso. No obstante, mientras menor sea la cantidad de estas llaves que actives, menos probable será que llegues a experimentar milagros. En cambio, mientras más apliques estas poderosas llaves a la tarea de sintonizarte con la forma en que actúa el cielo, más vas a reconocer las oportunidades para los milagros y también le pedirás más a Dios que te envíe.

En conjunto, estas cuatro primeras llaves desatan una vida de milagros. Y cuando llegues a combinar estos principios con los consejos prácticos que aparecen en la tercera y la cuarta parte de este libro, tendrás todo lo que necesitas para comenzar a entregar milagros personales.

4

La llave maestra

Tú naciste para que te enviaran a misiones de milagros

En una de esas calurosas noches de Georgia, mientras volvía a casa en mi auto después de visitar a mi madre, le hice una petición a Dios. Es algo que le he pedido muchas veces en mi vida. Allí mismo en mi auto, me imaginé caminando por los atrios del cielo, arrodillándome ante el trono de Dios y pidiéndole: «Señor, por favor, envíame a hacer tu obra. Quiero servirte esta noche».

Minutos más tarde, llegué al cruce de carreteras y tomé la rampa de salida. Entonces fue cuando noté que tenía delante una furgoneta de modelo antiguo, estacionada a un lado de la carretera. Un hombre con un turbante estaba a su lado, haciéndome señas para pedirme ayuda.

Bajé la velocidad y paré el auto detrás de la furgoneta. Cuando me detuve, ya estaba él junto a mi ventanilla.

—¿Qué le sucede, señor? —le pregunté.

—Se me rompió la furgoneta. Llamé a una grúa, pero por la noche solo aceptan dinero en efectivo. No tengo ninguno conmigo. Así que llevo horas aquí.

Estaba empapado en sudor y se veía enseguida que se sentía traumatizado.

—Dé la vuelta y siéntese en mi auto —le dije—. Aquí dentro la temperatura es más fresca.

Entró, le alcancé una botella de agua y hablamos acerca de lo que se debía hacer.

—¿Es cierto que lleva horas aquí? —le pregunté.

—Sí. Y tengo en casa niños pequeños que esperan por mí —dijo e hizo una pausa—. Sin embargo, lo que la gente me ha estado gritando... ¡es lo peor de todo!

—¿Gritando?

—Sí, cuando pasaban por donde estaba. Nunca había oído tantas indecencias. Insultos racistas. Groserías. Maldiciones dirigidas a mi madre. Me han tirado cosas...

Entonces supe que mi parada no fue una coincidencia, ni un simple acto de caridad. Ese hombre derrotado, sentado junto a mí, era la respuesta de Dios a la oración que hice solo unos minutos antes. Dios me envió y me movía a actuar en su nombre.

—¡Cuánto lo siento, señor! Pasar horas en esas condiciones debe haber sido muy doloroso —le dije y me di vuelta para mirarlo de frente—. Si me lo permite, quisiera pedirle perdón por todas las faltas de respeto que tuvo con usted toda esa gente.

El hombre me miró incrédulo.

—Le ruego que nos perdone —le dije—. Usted no es nada de lo que le dijeron. Y tampoco toda la gente de aquí es así.

Le expliqué que le quería pagar la grúa. Tomé un sobre que tenía dentro de la agenda, en mi asiento junto a mí.

—Aquí tiene algo para la grúa y un poco más para que le arreglen la furgoneta. Es un dinero de otra persona que he estado llevando conmigo. Tengo razones para creer que Él habría querido que se lo diera a usted.

Al principio, se quedó sin habla. Después no sabía cómo darme las gracias y me pidió mi dirección para devolverme el dinero.

—No. No hay necesidad ninguna de eso —le dije.

Salió y se dirigió a su furgoneta. Entonces se detuvo, dio media vuelta y regresó hasta mi ventanilla.

—Señor —añadió con solemnidad—. ¿Acaso es usted un ángel?

—Bueno, aunque me enviaron a encontrarme con usted, no, no soy un ángel.

—Fue Dios el que lo envió, ¿no es cierto?

—Sí —le dije.

Mientras seguía rumbo a mi casa, iba moviendo la cabeza en mi asombro por las formas en que actúa Dios. Le pedí una cita para un milagro, tomé la rampa de salida a los pocos minutos, y allí estaba.

¿Alguna vez le has pedido a Dios con todo el corazón que te envíe a una misión de milagros?

Al usar el verbo «pedir» no me refiero a decirte que estés dispuesto. Tampoco me refiero a que puede enviarte algún día si tiene necesidad de resolver algo. Me refiero a que le supliques a Dios de manera concreta, apasionada y urgente que te envíe... ¡y que te envíe hoy mismo!

He visto que hay un eslabón directo en mi vida entre esa pequeña oración y unos resultados extraordinarios. Algunas veces, esas citas son de menor escala, como esa noche en la carretera. Sin embargo, otras veces son mayores. Dios me ha enviado a hablarles a los altos ejecutivos de las corporaciones, a negociar la paz entre tribus enemigas del África, a ayudar a restaurar un matrimonio justo antes que terminara en un divorcio e incluso a reunirme con presidentes de naciones.

Lo que todas estas experiencias tienen en común es esto: se iniciaron con una petición concreta por mi parte y terminaron con un milagro. Cuando le pido a Dios que me envíe, Él me envía a una misión de milagros.

A eso se refiere la primera llave para abrir una vida de milagros.

La clase de «sí» que busca Dios

Tu petición urgente para que Dios te envíe a una misión de milagros es con exactitud la clase de «¡Sí!» que busca Él. A este movimiento intencionado de nuestra parte le llamo la «Llave Maestra», porque abre la puerta invisible que hay entre nosotros y el Territorio de Milagros Diarios. Nuestra acción la abre, atravesamos el umbral y todo cambia.

Lo que antes solo era el terreno donde se desarrollaba nuestra vida, se ha convertido ahora en una escena repleta de oportunidades para milagros. Dale vuelta a esta llave y pasarás a actuar a plenitud de acuerdo con tu nueva función de «repartidor» del cielo. Eres un enviado por Dios a cumplir una misión dentro del Territorio de Milagros Diarios.

A diferencia de esta llave, todas las demás llaves que te mostraré servirán para abrir tu potencial para los milagros una vez que te encuentres allí.

La Llave Maestra es una oración urgente en la que le pedimos a Dios que nos envíe a hacer su obra. Entramos a menudo al salón del trono celestial y le pedimos a Dios: «¡Por favor, Señor, envíame a mí!».

Si conoces la Biblia, tal vez estés pensando: *Sin embargo, ¿por qué le voy a tener que pedir a Dios que me envíe? ¿Acaso Jesús no me dijo ya que fuera?*

Tienes razón. Jesús ya te envió. Antes de regresar al cielo, puso en manos de sus discípulos la misión que Él vino a realizar a la tierra y les dio una explicación. Les dijo: «Como me envió el Padre, así también yo os envío». Después convirtió estas palabras en una orden: «Id por todo el mundo y predicad el evangelio a toda criatura»[1].

No obstante, existe un problema. ¿Lo notaste? Son millones los seguidores de Cristo que ya saben lo que dijo Él. Hay millones de personas que están de acuerdo en que, si Él nos ordenó ir, debe tratarse de algo importante. También son millones los que están dispuestos y listos para ir.

Aun así, son muy pocos los que van.

Cuando tú y yo le pedimos a Dios que nos envíe, tomamos su urgente y sentido *mandato* franco y lo convertimos en nuestra urgente y sentida *petición*. Venimos en todo hasta el punto de vista de Dios para lo que nacimos. Le decimos a Dios:

Escuché tu orden, pero comprendo que escuchar y estar de acuerdo no basta. Por consiguiente, Señor, te pido de corazón que *me envíes* hoy en una misión de milagros. Además, ¡te aviso por adelantado que cuando me envíes, *iré*!

Cuando oras de esta manera, Dios sabe que puede contar contigo, su «repartidor» motivado en gran medida, cuando sea. Ya sea que te toque el corazón con uno de sus impulsos o que solo te ponga en medio de una escena donde haya algo que quiere que se haga (como lo hizo conmigo aquella noche en la carretera), Él sabe que ya te has comprometido a actuar en su nombre.

¿Por qué *no habría* de comenzar a enviarte oportunidades para que se produzcan milagros?

Solía pensar que solo los que conocían en detalle su misión por adelantado (y les agradaba), le pedirían a Dios con tanta urgencia que los enviara. Entonces analicé de nuevo la tan conocida historia de la forma en que el profeta Isaías le pidió que lo enviara.

Te invito a escuchar una conversación muy reveladora.

Escucha a hurtadillas una conversación sobre tu futuro

En el libro de Isaías encontramos otro relato escrito por un hombre que pudo ver detrás del velo del cielo. Como Micaías antes que él, Dios le permitió a Isaías que escuchara una conversación que se desarrollaba alrededor de su trono. Sin embargo, a diferencia de Micaías, Isaías no se limitó a escuchar y aprender de manera cortés, sino que participó en la conversación.

Es muy posible que conozcas lo que escribió acerca de su asombrosa experiencia:

> *En el año de la muerte del rey Uzías vi yo al Señor sentado sobre un trono alto y sublime, y la orla de su manto llenaba el templo. Por encima de Él había serafines; cada uno tenía seis alas: con dos cubrían sus rostros, con dos cubrían sus pies y con dos volaban. Y el uno al otro daba voces, diciendo:*
>
> > *Santo, Santo, Santo, es el Señor de los ejércitos,*
> > *llena está toda la tierra de su gloria.*
>
> *Y se estremecieron los cimientos de los umbrales a la voz del que clamaba, y la casa se llenó de humo* [2].

¡Qué escena! La corte celestial llena al máximo... llena con la orla del manto del Señor, llena de humo, llena con las voces de esos extraños seres angelicales, llena por encima de todo esto con la maravillosa presencia de Dios. A decir verdad, un día más en el cielo. Sin embargo, en ese día en particular, Dios invitó a un testigo de la tierra para que presenciara lo que sucedía.

Como notarás enseguida, lo que ve Isaías en el cielo es sorprendentemente parecido a lo que vio Micaías:

- Ve a Dios en acción y enfocado en la agenda del cielo para la tierra.
- Ve que Dios está buscando un voluntario para que la lleve a cabo.

Dios no está sentado de brazos cruzados dejando pasar los siglos y solo escuchando los coros de ángeles.

Por eso, en el capítulo anterior describimos el cielo como la Central de Misiones. Dios no está sentado de brazos cruzados dejando pasar los siglos y solo escuchando los coros de ángeles. En su lugar, está dedicado a enviar misiones de milagros para satisfacer las necesidades que hay en la tierra. Algunas veces, envía ángeles. No obstante, para el trabajo frente a frente dentro del ámbito físico, busca personas que dirán sí.

Unos versículos más adelante, Isaías oye que Dios hace dos preguntas.

Entonces oí la voz del Señor que decía:
—¿A quién enviaré? ¿Quién irá por nosotros?

Y respondí:
—*Aquí estoy. ¡Envíame a mí!* [3]

Observa la respuesta inmediata que le dio Isaías a Dios. En el texto hebreo, usa un imperativo. ¡Es tan intenso el anhelo que siente Isaías de que Dios lo envíe que casi le ordena que lo haga!

¿Enviarlo a hacer qué? Bueno, resultó que Isaías iría a hablar en el nombre de Dios en las cortes de los reyes y presentar unas asombrosas visiones que aún hoy siguen inspirando a sus lectores. Sin embargo, en ese momento, Isaías no sabía lo que le esperaba en el futuro. Tampoco lo preguntó. Pienso que se sintió tan cautivado con lo que veía que olvidó que aún estaba en Jerusalén. Y en lugar de quedarse callado, grita: «¡Señor, envíame a mí!».

¿Por qué tú y yo podemos actuar con semejante osadía ante Dios? Una razón: le pedimos que realice por medio de nosotros lo que ya Él ha hecho ver con claridad que *quiere* y que *va a realizar* con toda urgencia. ¿Qué padre no le confiaría las tareas que más desea su corazón a un hijo o una hija que manifieste esa clase de compromiso leal?

Considera de nuevo las dos preguntas que hace Dios ese día en que lo escucha Isaías: «¿A quién enviaré?» y «¿Quién irá por nosotros?». No hace la misma pregunta dos veces; ambas preguntas son importantes. Por ejemplo, no todos los enviados decidirán ir. (Espera hasta que te encuentres con Jonás en el próximo capítulo). Dios está buscando voluntarios que se comprometan sin poner condiciones previas a ir cuando Él se lo pida.

La respuesta de Isaías encarna la verdad de la Llave Maestra: *Dios está buscando hombres y mujeres que tengan un deseo tan grande de hacer la obra del cielo, que le pidan ir con todo fervor. Y cuando se lo pidan, Él va a actuar.*

> *He notado algo inexplicable, pero muy tranquilizador. Cuando le pedimos a Dios que nos envíe, Él nos conecta con personas que podemos ayudar.*

Conexiones para los milagros personales

He notado algo inexplicable, pero muy tranquilizador. Cuando le pedimos a Dios que nos envíe, Él nos conecta con personas que *podemos* ayudar. Lo hizo conmigo esa calurosa noche junto a la carretera. Orquestó una cita para mí con ese hombre de la furgoneta averiada, y ese encuentro fue muy concreto en cuanto al momento, la necesidad y los recursos. Así hará también las cosas contigo. Tu oportunidad para ayudar a la gente con la que te encuentras es tan grande como la mía. Es algo extraño, pero de seguro que no es producto del azar.

Hace poco, viajaba en avión teniendo mi Biblia delante y le pedí a Dios que me enviara a una persona necesitada. Un hombre que regresaba del baño me vio leyendo y se detuvo para decir: «Ese sí es un buen libro». Después que intercambiamos unas cuantas palabras, tomó el asiento vacío junto al mío. Cuando le pregunté qué podía hacer por él, me dijo: «Justo antes de regresar hasta aquí, leía el libro de Proverbios y le suplicaba a Dios que me dijera qué hacer. Necesito dos milagros hoy mismo. Mi compañía de construcción está metida en graves problemas».

No lo podía creer. ¡Le pidió a Dios dos milagros en particular! Resultó que sus problemas tenían sus raíces en cuestiones de organización y liderazgo que he enseñado y en las que he sido consultor por años. Cuando terminamos de hablar, Dios le había respondido su oración. «Quién habría pensado que Dios iba a responder mi oración con tanta rapidez», me dijo, «¡y mientras iba de vuelta a mi asiento desde un baño del avión!».

Te cuento este incidente para aclarar un asunto: aunque estemos seguros de que tenemos poco que ofrecer, Dios nos conecta con las situaciones y las personas de una forma única y con un propósito. La Central de Misiones *no es* una operación desordenada. Dios va a hacer que te encuentres con gente distinta a la que me va a poner a mí delante. Sí, ambos le hemos dicho: «¡Por favor, envíame a mí!». Sin embargo, Él nos va a enviar a cumplir misiones diferentes. Y ambos sabremos que fue el Rey del universo el que nos preparó para ese milagro.

Los giros en U de mi Llave Maestra

Con el fin de activar la clase de asociación tan notable con el cielo que he estado describiendo, y mantenerla floreciente como todo un estilo de vida, la mayoría de las personas necesita revisar por completo sus suposiciones en cuanto a la forma en que trabaja el cielo.

Las siguientes declaraciones con la «A» representan lo que cree casi toda la gente... y tal vez lo que tú has creído hasta ahora. Las afirmaciones con la «B» sincronizan tus creencias con las verdades bíblicas de modo que Dios pueda liberar los milagros en tu vida.

Lo que creo acerca de tener iniciativas

Creencia A. Todo lo que Dios quiere es que esté disponible y deseoso de que Él obre a través de mí de formas milagrosas.

Creencia B. Dios quiere que tome la iniciativa de pedirle que me envíe en una misión de milagros.

Lo que creo acerca de quién tiene la responsabilidad por la agenda de milagros de Dios para mí en la tierra

Creencia A. Dios tiene toda la responsabilidad por la agenda de milagros para mí, en especial cuando se trata de algo que solo puede hacer Él. No tengo responsabilidad alguna en cuanto a los milagros.

Creencia B. Ante todo, tengo la responsabilidad de llevar a cabo la agenda de milagros de Dios por el poder del Espíritu. Nací para asociarme con el cielo en esas misiones de milagros.

¿Dónde te ves en estas declaraciones sobre tus creencias? ¿Te sientes listo ahora para desechar tus viejos conceptos errados y asirte a los nuevos, que son los que liberan los milagros? De ninguna manera entrarás a una vida de milagros mientras sigas atado por falsas creencias. Y no tienes por qué estarlo.

Ahora mismo, repite en voz alta las nuevas verdades, las creencias «B», escríbelas en tu diario y observa lo que Dios hace a continuación en tu vida.

Es lamentable que, para demasiados de nosotros, la idea de ser enviados a hacer la obra de Dios pueda parecer altruista, muy espiritual y fuera del alcance. Por eso quiero presentarla en términos cotidianos.

Perfil de un «repartidor»

Imagínate esto:

Un repartidor de paquetes llega a tu puerta. Tiene un paquete en las manos. Lleva escrito tu nombre. Dentro de la caja hay algo que es para ti.

O imagínate esto otro:

Una repartidora de paquetes llega a tu negocio. Lleva consigo una pila de sobres grandes reforzados. Tu nombre aparece en todos. Lo que hay dentro de cada uno de los sobres es para ti.

¿Qué ves en estas dos escenas tan conocidas? Un hombre y una mujer que cumplen una misión. Te enviaron a los dos para que te hicieran una entrega. Cada uno lleva un paquete determinado a una dirección dada y a una persona en particular. Saben que tu mayor interés no está en ellos, sino en el paquete. Solo son repartidores.

Ahora imagínate esto:

Tú eres el repartidor. Te enviaron de la Central de Misiones. Tu trabajo diario, tal vez numerosas veces cada día, consiste en entregarle a otra persona un paquete de Dios. ¿Qué contiene ese paquete? No lo sabes con exactitud, pero crees que, como viene de Dios, es algo bueno... muy bueno.

Cuando tú y yo le pedimos de manera deliberada a Dios que nos envíe a hacer su obra en la tierra, asumimos un papel distinto por completo en nuestro día. Ahora somos personas enviadas por Dios. Somos sus repartidores. Salimos por la puerta de nuestra casa sabiendo que Él podría tener un milagro (que nos encargaríamos nosotros de entregar) para alguien que encontremos. ¿Por qué? Porque, desde el punto de vista de Dios, todo el mundo, en todas partes, en todo momento, tiene necesidades. Dios conoce todas las necesidades, y se interesa por cada una de ellas. Por eso le complace tanto enviar siervos que sientan pasión por entregar pruebas visibles de su bondad y su gloria.

La vida que estoy describiendo es una manera de vivir que hasta los que han sido cristianos durante mucho tiempo, raras veces se atreven a imaginársela para sí mismos. Sin embargo, tú y yo nacimos para hacer más que imaginarlo: nacimos para vivirla día tras día.

Tal vez pienses que de algún modo debes hacerte más digno antes que Dios te favorezca con una misión de milagros. Aun así, por sorprendente que te parezca, lo real es lo contrario. Como verás en el capítulo 10, tú eres el que está haciendo el «favor». Tiene sentido pensar que en un mundo donde hay una cantidad casi infinita de necesidades, y donde la mayoría de la gente se niega a ir en una misión de milagros, el cielo podría tener un montón de misiones de milagros atrasadas en espera de que alguien haga las entregas.

Tiene sentido que cuando tú y yo entremos a su presencia y le pidamos de todo corazón: «¡Señor, por favor, envíame a mí!», Él actúe.

En ese caso, imagínate cómo respondería Dios si le pidiéramos que nos enviara, no solo una vez, sino con regularidad.

Cómo pides que te envíe

Cada una de las llaves analizadas en este libro revela una acción que debe convertirse en hábito de vida si quieres ser productivo para Dios en el Territorio de Milagros Diarios. Sin embargo, todo comienza con la Llave Maestra.

He aquí unos sencillos pasos que puedes dar de forma continua de modo que tu «sí» a Dios se convierta en un estilo de vida y no en un simple suceso único.

1. *Entra de manera consciente en el salón del trono celestial.* Imagínate que entras en el magnífico salón del trono donde está sentado Dios Padre con Jesucristo a su diestra. Considera esto como un acontecimiento real que se produce en la corte celestial y no unas simples palabras que pronuncias cuando oras. Siguiendo el ejemplo de Isaías, entra allí teniendo presente tu petición urgente.

2. *Ofrécete con las palabras «Aquí estoy. ¡Envíame a mí!».* Imagínate pidiéndole a Dios de todo corazón que te escoja para servirle. «Aquí estoy. ¡Por favor, Señor, envíame a una misión de milagros!» Eso es todo lo que necesitas decir. Eso es todo lo que Él necesita escuchar. Así le habló Isaías a Dios cuando vio la forma en que funciona el cielo. La Biblia honra de manera única «la oración *ferviente* de una persona justa»[4].

3. *Comprométete antes a actuar cuando recibas un impulso de Dios.* Prométele a Dios: «Cuando tú guíes, responderé». Algunas veces, le dirás estas palabras al Señor, mientras que otras solo te reafirmarás ese compromiso. Ahora bien, sin importarte cómo, dónde ni cuándo el Señor te haga ver cuál es su voluntad, decides actuar por adelantado. Es más, decides con antelación que el riesgo mayor no es malinterpretar su impulso, sino en dejarte desviar por racionalizaciones, excusas, incertidumbres, dudas o negligencias.

4. *Pon tu fe de forma activa en Dios a fin de que entregue su milagro a través de ti.* ¿Por qué? Porque pronto lucharás con el temor. Así que ejercita tu fe mediante tu compromiso con Dios: «Confío en tu entrega del milagro por medio de mí. ¡Gracias porque puedo confiar de lleno en ti!». Entonces, habrá terminado tu preparación. Deja el salón del trono con el gozo de alguien enviado. Pon esto en tu espejo, pégalo al salpicadero de tu auto o a tu escritorio, o escríbelo en tu cuaderno de planificación diaria: «Hoy soy un repartidor de Dios. ¡Señor, por favor, envíame *a mí*!». Esta oración es la señal que le envías al cielo de que te hallas en estado de alerta y ansioso por servir.

Puesto que ahora vistes el uniforme de la Central de Misiones, podrás seguir adelante en la autoridad de Dios y confiado en cuanto a lo que tienes delante.

¿Qué viene después?

Por supuesto, es natural que te preguntes qué pasa después. Pronto verás que dejarle a Dios las cosas desconocidas se convierte en parte de tu aventura. No obstante, si eres como la mayoría de la gente, de inmediato sospechas que abandonas la Central de Misiones sin algo... algo muy importante.

¿Quizá sean direcciones?

¿Un nombre?

¿Algunas pistas?

Te tengo buenas noticias. En primer lugar, puedes esperar que los milagros comiencen a producirse enseguida en tu vida, aun si desconoces otros detalles específicos acerca de tu misión. ¡Es cierto! Lo he visto suceder numerosas veces. A Dios le encanta trabajar con un «repartidor» que sea lo bastante osado como para decirle:

«Envíame, Señor, sin importar lo que eso signifique, ni lo que suceda. Confío en ti».

En segundo lugar, ahora estás listo para descubrir la agenda de Dios para tu día y para mostrar como nunca antes lo que hay en su corazón para los beneficiarios de tu misión.

Ese es el tema del próximo capítulo.

5

La llave de la gente

*Tú naciste para mostrarles el corazón
de Dios a las personas*

Hace algunos años, mientras abordaba un vuelo hacia
Los Ángeles, lo único que tenía en mente era cumplir
la fecha indicada de una reunión. Mi libro *Más allá de Jabes* estaba
a punto de enviarse a la imprenta. Esta sería mi última oportunidad
para hacerle cambios.

Mientras tomaba mi asiento, le pedí a Dios que me ayudara a
terminar mi trabajo antes que aterrizáramos en California. (Sin
embargo, para ser sincero, mi oración significaba: «Por favor, ¡no me
pidas que ayude a nadie durante las próximas tres horas!»).

Por fortuna, pude ascender a la clase preferente con las millas
de viajero frecuente, y pensaba que el espacio extra mejoraría mis
posibilidades de trabajar sin distracciones. Además, me sentaron
junto a una ventana y al lado de un asiento vacío... mejor todavía.
Suspiré con alivio y le di gracias a Dios por escuchar mi oración.

No obstante, antes de que cerraran las puertas, oí la escandalosa voz de un hombre obviamente ebrio entrando al avión. El corazón me dio un vuelco. Era imposible que se dirigiera al asiento vacío que estaba junto al mío... ¿o no? Le recordé a Dios con rapidez que el libro en el que trabajaba era suyo. *Sin duda, ¡tú querrás que termine esto!*

Entonces apareció aquel hombre, tambaleándose por el pasillo. Su cabello estaba teñido de varios colores, y en el cuerpo tenía perforaciones en numerosos lugares interesantes. Cuando se detuvo en mi fila, el olor del alcohol pareció llenar toda la cabina.

«¡Oiga, me parece que este asiento es el mío!», anunció.

«Sí, señor», le dije. «Me preguntaba si lo sería».

Una vez sentado, el Hombre Metálico del Arco Iris le aceptó un trago a la azafata. Entonces quiso hablar conmigo. Hablamos de cosas sin importancia durante unos minutos y después hice mi jugada... volviendo la atención a mi trabajo sin mucha discreción.

Él hizo su jugada también. Pidió otro trago.

Sucedió que corregía el texto en una sección del libro que incluía historias acerca del tiempo que pasó nuestra familia en África. Mientras trabajaba, el Hombre Metálico del Arco Iris bebió y bebió, hasta que la azafata le sugirió que ya había bebido bastante. Todo ese tiempo, mantuve el cuerpo tan alejado de mi acompañante como me fue posible. Mientras tanto, seguía defendiendo mis decisiones. *Señor, tú sabes que no puedo hablar con este tipo. No dejes que me interrumpa. Necesito acabar de revisar estas páginas.*

Sin embargo, después de revisar muchas páginas acerca de cómo Jabes le pidió a Dios que le permitiera hacer más cosas para Él, cedí. *Muy bien, Señor, oré. Envíame a servirte, aunque sea a este hombre. Aun así, permite que él sea quien comience la conversación.*

Apenas acabé de orar así, habló el Hombre Metálico.

—¡Ese sí que es un libro @#!!@# bueno! —me gritó.

—Ah... ¿le parece bueno? —le dije. No supe qué otra cosa decir. Era la primera vez que una persona había dicho palabras soeces acerca de uno de mis libros (al menos en mi presencia)—. ¿Cómo lo sabe?

—¡@#!!@#! ¡Porque lo he estado leyendo por encima de su hombro!

Asentí, tratando de que el vaho del alcohol no me mareara.

—A pesar de eso, tengo una pregunta importante —me anunció—. ¿Es usted sacerdote?

¿Y de dónde sacó semejante cosa?, me pregunté. No tenía puesta ropa negra, cuello clerical, ni una cruz siquiera. Estaba a punto de responderle que no, cuando me vino a la mente un versículo:

Mas vosotros sois [...] real sacerdocio, nación santa, pueblo adquirido por Dios, para que anunciéis las virtudes de aquel que os llamó de las tinieblas a su luz admirable[1].

—Sí —le dije tartamudeando—. Me parece que se podría decir que soy sacerdote. Sin embargo, ¿por qué me pregunta eso? —pregunté y me volví hacia él—. Dicho sea de paso, me llamo Bruce.

El Hombre Metálico del Arco Iris resultó llamarse Gary en realidad. Se arrellanó en su asiento, respiró hondo y después me dijo con exactitud por qué Dios lo sentó junto a mí. Por supuesto, no usó estas palabras, pero es lo que me llegó a la perfección.

—Voy rumbo a Hollywood porque estoy a cargo de un concierto de rock en el *Rose Bowl* que ya tiene vendidas todas las entradas —me dijo—. Pero mi mejor amigo en todo el mundo tuvo un accidente ayer, y murió.

—Cuánto lo siento —le contesté.

Gary se quedó allí sentado en silencio durante un instante.

—¿Sabe una cosa? Cuando fui allí y lo vi muerto, no pude menos que pensar: *Si este fuera yo, no sé a dónde iría después de morir* —dijo y me miró con cara de sueño—. No pude dormir en toda la noche. De camino al aeropuerto, le dije a Dios: "¡Dios, si es cierto que existes, *te ruego* que me envíes un sacerdote!".

Dejé a un lado lo que estaba haciendo, para hacerme cargo del milagro que Dios me había asignado.

—¿Cómo te puedo ayudar, Gary? —le pregunté.

Cualquiera, en cualquier momento, en cualquier lugar

¿Crees que Dios se puede abrir paso a través de una neblina de alcohol si quiere entregar un milagro? Sé que sí. Y estoy muy agradecido que

Dios interrumpiera lo que yo pensaba que era importante ese día en mi vuelo hacia Los Ángeles. Si Él no lo hubiera hecho, me habría perdido a Gary, la cita del milagro que Dios guió con todo amor hasta el asiento junto al mío.

¿Qué habría sucedido si le hubiera dicho que no?

En el capítulo anterior vimos cómo la Llave Maestra nos pone en movimiento como «repartidores» de Dios. Si oraste para que te enviara, ahora estás listo para trabajar por Dios en el Territorio de Milagros Diarios. Sin embargo, tal como lo muestra la historia de Gary, el que nos envíe es solo el comienzo. Lo que viene después es lo que toma por sorpresa a casi todos los repartidores. Le llamo *el momento de colisión*, y tú te vas a tropezar con esa clase de momentos una y otra vez en tu vida.

He aquí cómo se producen.

Muchas veces me veo obligado a escoger... no entre algo malo y algo bueno, sino entre algo bueno y algo milagroso.

Tú y yo comenzamos con la mejor de las intenciones de servir a Dios. Con todo, traemos con nosotros expectativas y suposiciones acerca del aspecto que tendrá nuestra nueva vida de milagros, de cómo va a obrar Dios a través de nosotros, cuándo se producirán los milagros, a qué clase de gente serviremos y cómo reaccionará esa gente ante nosotros, una vez que entreguemos el milagro.

Sin embargo, esto presenta un problema. En mi experiencia, la agenda de milagros de Dios rara vez está de acuerdo con mis expectativas y suposiciones. Luego, cuando llega la cita del milagro, muchas veces me veo obligado a escoger... no entre algo malo y algo bueno, sino entre algo bueno y algo milagroso.

Si me descuido, me puedo perder por completo mi cita del milagro.

¿Te diste cuenta por mi encuentro con Gary lo fácil que me fue confundir mi agenda con la de Dios? Mis planes me parecían lógicos a la perfección, incluso espirituales. Trabajaba a toda prisa para acabar a tiempo un libro que podría influir en favor de Dios a miles de lectores. Haz el cálculo: miles de lectores contra un ebrio y malhablado Hombre Metálico. ¡Sin discusión! Me sentía seguro al cien por cien de que ya conocía la agenda del cielo para mi vuelo y que la tenía desplegada ante mí en blanco y negro.

No obstante, estaba equivocado. La agenda del cielo para mí era Gary.

Cada milagro comienza con una persona necesitada. Por obvio que parezca, esa realidad es la que hace tan crítica la presencia de esta segunda llave.

La Llave de la Gente es la forma en que haces tuyas la agenda de Dios y su corazón por la gente. Te prepara para el inevitable choque entre tus preferencias y las de Dios, mediante la renuncia con antelación a tus derechos. De esa forma, Él te podrá entregar un milagro a través de ti a cualquiera en cualquier momento.

La llamo la Llave de la Gente, porque toda la agenda de Dios con respecto a los milagros se puede resumir con una sola palabra: *gente*. Esta llave abre varias condiciones de los propósitos de Dios para los que envía:

- Nuestra agenda personal debe someterse a la suya.
- Nuestro corazón debe ser su corazón en cualquier milagro.
- Nuestro papel en todo milagro debe ser para servir a la gente: a cualquiera, en cualquier momento y en cualquier lugar que Él nos dirija.

Sin duda, servir a la gente de acuerdo con la agenda del cielo era algo que tenía la prioridad máxima para Jesús. «Yo estoy entre vosotros como el que sirve», les dijo a sus discípulos. En otras ocasiones dijo: «El Hijo del Hombre no vino para ser servido, sino para servir, y para dar su vida en rescate por muchos», y «He descendido del cielo, no para hacer mi voluntad, sino la voluntad del que me envió»[2].

El cielo envió a Jesús para servir... y a ti y a mí también.

Si no nos centramos con pasión y a sabiendas en llevar a cabo la agenda de Dios con el corazón de Dios, terminaremos poniendo por delante nuestra propia agenda. Incrementaremos la búsqueda de la clase de misión que disfrutemos más. Nos inclinaremos a pedirle a Dios que bendiga nuestra continua actividad para Él, en lugar de pedirle que nos envíe en la misión de milagros que prefiera Él.

La Llave de la Gente nos libera para que estemos más disponibles para la entrega de milagros, porque ya nos pusimos de acuerdo con Dios en ciertas cuestiones de gran importancia. Por ejemplo, acordamos por adelantado que la persona, el lugar, la naturaleza y el momento del milagro son asuntos suyos y no nuestros. Sometimos nuestro punto de vista, nuestra sabiduría y nuestra experiencia a una cosa: su agenda de milagros para nosotros en cualquier momento dado. Reafirmamos junto con Dios que su oportunidad de hacer un milagro, cuando llegue, siempre será una persona o un grupo de personas en necesidad. Y le dijimos que entendemos que es muy posible que la persona necesitada no nos parezca en absoluto como una oportunidad.

Jesús sabía con exactitud el aspecto que podía tener una oportunidad inesperada para un milagro. Para Él, como para nosotros, la persona necesitada de un milagro podría parecer

- una persona impopular (Zaqueo),
- un paria de la sociedad (la samaritana junto al pozo),
- una interrupción inaceptable (el paralítico que bajaron por un hueco en el techo),
- un visitante nocturno (Nicodemo),
- una persona desesperada que se aferra a nosotros en una multitud (la mujer con el flujo de sangre).

Por decirlo de otra forma, es muy probable que nuestra oportunidad para entregar un milagro nos llegue en el momento o de la manera que *menos* preferimos:

- durante el juego de baloncesto de nuestro hijo,
- en la tienda cuando tenemos prisa,
- cuando está agotada la última pizca de nuestra energía,
- en medio de una labor importante que hacemos para Dios,
- cuando al fin comenzamos a disfrutar la tan ansiada siesta del domingo por la tarde.

Lo cual nos lleva a la medida de acción, en la segunda parte de nuestra definición de la Llave de la Gente: sabiendo que las citas de milagros que concertó Dios para mí a menudo chocarán con mis planes y mis preferencias, necesito comprometerme con antelación a cederle a Él mis derechos cada vez que me lo pida y para servir a algún necesitado.

¿Significa esto en realidad que debemos estar preparados para entregarle un milagro a cualquier persona con la que nos encontremos? Por supuesto. Si comenzamos nuestro día con nuestros lentes para localizar Gente Favorita, que filtran y eliminan la visión de esos con los que preferiríamos no tratar, nos perderemos un por ciento importante de las oportunidades de milagros que nos quiere confiar el cielo. O bien las notaremos, pero responderemos diciendo: «No, gracias».

Eso fue justo lo que hizo Jonás.

Misión inaceptable

Es muy probable que conozcas a Jonás por haber oído su historia en la Escuela Dominical o por algún libro ilustrado para niños. Sin embargo, la historia de Jonás ilustra una verdad para los adultos: aunque la gente es la razón por la que Dios hace un milagro personal, uno de los mayores desafíos para la entrega de esos milagros es... la gente misma.

Los seres humanos pueden ser exigentes y difíciles, así como indignos e ingratos. Y, desde luego, nosotros también podemos ser todas esas cosas. El problema está en que Dios parece no tener en cuenta nada de eso cuando nos envía en una misión. Sin duda, no lo hizo cuando envió a Jonás.

Jonás era profeta en Israel, así que sabemos que ya había aceptado el que Dios lo enviara. Entonces, llegó su momento de choque. Dios le indicó que fuera a Nínive, la capital de Asiria, con un mensaje importante: si no se arrepienten de sus malos caminos, Dios los destruirá. Ahora bien, los asirios eran

> *Si comenzamos nuestro día con nuestros lentes para localizar Gente Favorita, que filtran y eliminan la visión de esos con los que preferiríamos no tratar, nos perderemos un por ciento importante de las oportunidades de milagros que nos quiere confiar el cielo.*

una nación notoria por su violencia, adoradora de ídolos y enemiga de Israel desde siempre. En la opinión de Jonás su destrucción, no su arrepentimiento, parecía el plan perfecto.

Por eso, cuando Dios le dio esa indicación, Jonás dijo que no y huyó en sentido contrario.

Aquí tienes algunas escenas de la filmación de *YouTube* sobre lo que sucedió después:

Un camino polvoriento: Jonás se abre paso furioso hasta la costa. A cada paso grita: *¡No! ¡No! ¡No!*

Un puerto lleno de actividad: Jonás, todavía enojado, se compra un pasaje en un barco.

Una tormenta en el mar: Al barco lo golpean olas inmensas.

Empeora la tormenta en el mar: El barco comienza a hacer agua. La tripulación, en su desespero, tira la carga al mar.

El mar embravecido por completo: El barco está a punto de naufragar. La tripulación desesperada tira a Jonás por la borda.

Un día tranquilo en medio del mar: No hay señales de Jonás.

Sin embargo, tres días más tarde las cosas cambian de una manera increíble: un pez inmenso deposita a Jonás, hecho un asco pero vivo, en tierra seca. ¡Qué sorprendente! En lugar de entregar un milagro *a través* de Jonás, Dios hizo un milagro *por* Jonás... y es uno enorme.

¿Ahora ya está listo para servir? Dios no pierde el tiempo en averiguarlo:

Vino palabra del Señor por segunda vez a Jonás, diciendo: Levántate, ve a Nínive, la gran ciudad, y proclama en ella el mensaje que yo te diré. Y Jonás se levantó y fue a Nínive conforme a la palabra del Señor [3].

Esta vez Jonás obedece, y cuando entrega el mensaje de Dios en Nínive, es testigo de su segundo milagro gigantesco: se arrepienten las ciento veinte mil personas que viven en esa ciudad. Dios responde a su arrepentimiento, decidiendo no destruirlas. La misión de milagro concluye para todo el mundo.

Es decir, todo el mundo menos Jonás.

Cualquiera pensaría que dos milagros tan asombrosos, uno detrás del otro, habrían debido renovar la comprensión de Jonás acerca de su papel como repartidor de milagros. Cualquiera pensaría que en esos momentos se sentiría emocionado, convencido y muy motivado a seguir sirviendo a Dios, donde Él quisiera que fuera y con las personas que Él le indicara. Sin embargo, Jonás no está emocionado. La Biblia dice: «Pero Jonás se apesadumbró en extremo, y se enojó»[4].

Es más, de principio a fin del capítulo, Jonás discute con Dios acerca de sus planes y sus motivaciones. Está seguro de que Dios cometió un grave error. Conclusión: *Jonás no puede aceptar que la misión que Dios le dio consista en manifestarle su compasión a una gente que a él le cae mal.*

Es fácil leer el libro de Jonás como una entretenida historia de un profeta obstinado que habría preferido ahogarse que permitir que la gente mala supiera que Dios la amaba. Ahora bien, ¿no sientes también la tristeza en la historia de Jonás? *Sabía* que había nacido para servir a Dios. *Sabía* que Dios lo había enviado. Y *sabía,* sin duda alguna, que Dios se había manifestado en su vida con su misericordia y sus milagros. Sin embargo, todo parece un desperdicio en él. Tendría que decir que Jonás falló el examen de la gente. ¿Por qué? Porque se negaba a amar a otros de la manera que lo amaba Dios a él.

El apóstol Pablo escribió:

Dios muestra su amor para con nosotros, en que siendo aún pecadores, Cristo murió por nosotros[5].

Así es el corazón de Dios: cuando nosotros aún éramos indignos e ingratos, Cristo murió en nuestro lugar. Y así es también el corazón de Dios: si le andas huyendo a tu misión de milagros, Dios te va a perseguir con toda paciencia, hasta la última de tus quejas egocéntricas.

El poder milagroso de la Llave de la Gente descansa en tu decisión de hacer tuya la pasión sacrificada de Dios por los seres humanos.

¿A quién sirves... en realidad?

Es hora de hacer una pregunta importante: ¿qué necesitamos para traer el corazón de Dios por la gente en cada oportunidad de milagro, no solo durante algún tiempo, sino como estilo de vida?

Si estamos en esto solo para servir a quienes queremos servir, nos agotaremos a la larga. Como Jonás, comenzaremos a mirar para otra parte cuando Dios nos insinúe que nos quiere enviar a una cita de milagros. Nos sentiremos tentados a declararnos enfermos o a decirle a Dios: «¿No podrías enviar hoy a otra persona?».

Recuerdo el día, hace más de veinticinco años, cuando le confesé a un amigo con mucha madurez que estaba perdiendo el entusiasmo por el ministerio.

—Es que esto es demasiado duro —le dije—. ¡A la mitad de la gente no le gusta lo que hago y la otra mitad ni siquiera sabe que existo!

—Muy bien, entonces, ¿por qué lo haces? —me preguntó mi amigo.

—¿Qué quieres decir con eso de que por qué lo hago? ¡Dios nos dice que nos sirvamos unos a otros!

—Sí —me contestó—, ¿pero es eso todo lo que nos dice acerca de servir a la gente?

No comprendía a dónde me quería llevar.

—Bruce —continuó—, si estás decidido a servir a la gente por el bien de la gente, a la larga te agotarás y renunciarás. Además, renunciarás por una razón muy buena.

—¿Cuál es esa razón?

—En realidad, servir a la gente no vale la pena.

Me quedé sorprendido. No tenía ni idea de que un líder cristiano maduro y muy respetado se pudiera sentir así. Sin embargo, no había terminado.

—Mira, tu llamado es para servir a Dios, y eso siempre vale la pena. Entonces, una de las maneras en que le sirves es mediante el servicio a los demás. Tienes que mantener tus ojos en Él, porque de lo contrario, no vas a durar. Una vez que te centres en servir y agradar a Dios, el resto se vuelve irrelevante.

Luego, mi amigo hizo que recordara un versículo importante para los siervos:

> *Y todo lo que hagáis, hacedlo de corazón, como para el Señor y no para los hombres [...] porque a Cristo el Señor servís*[6].

La Llave de la Gente tiene en su mismo centro el recuerdo constante de quién es Aquel a quien servimos. Se ve el rostro de Cristo en cada rostro. Se sirve «aun a los más pequeños»[7]. Se pone primero su empeño y su agenda por la gente. Así es que los enviados se mantienen en movimiento toda una vida para Dios, con los motivos apropiados y las prioridades adecuadas hacia el debido destino.

Derecho de paso del cielo

Si la Llave de la Gente abre una vida llevadera de entrega de milagros, ¿qué les impide a muchos que la acepten?

Puedo identificar al menos tres creencias comunes, pero erradas, que hacen que los enviados bien intencionados no lleguen muy lejos en la vida de milagros que quieren tener. Veamos dónde te encuentras en cada conjunto de declaraciones:

Escoger la cita que Dios tiene para mí

Creencia A. Si me mantengo ocupado haciendo cosas buenas, será menos probable que me pierda un milagro que me asignará Dios.

Creencia B. Puesto que puedo perder con facilidad el milagro asignado mientras estoy ocupado en hacer cosas buenas, necesito mantenerme alerta en cuanto a la dirección de Dios.

Comprender el problema de la gente

Creencia A. Debo servir a otros si son merecedores y agradecidos.

Creencia B. Debo servir a otros, porque estoy sirviendo a Dios y mostrando su corazón por la gente. Mi creencia de que crea o no que son merecedores o agradecidos es irrelevante.

Mantener un estilo de vida de milagros

Creencia A. Una vez que experimento un milagro, mi nueva forma de vida se sustentará sola. No tengo que preocuparme por motivos personales ni prioridades que se interpongan en los planes de Dios.

Creencia B. Solo puedo mantener un estilo de vida en la entrega de milagros teniendo el corazón de Dios por la gente, poniendo sus planes antes que los míos y sirviendo «como para el Señor».

Espero que hayas notado un cambio en lo que crees. Espero que adoptes las creencias del grupo «B». Naciste para servir a los demás por Dios, a su manera y con su corazón.

Hoy mismo puedes hacer tuya la Llave de la Gente con lo que llamo una Declaración de Derecho de Paso. Piénsalo de esta manera: Cuando le pides a Dios que te envíe a hacer su obra mediante su poder, tu furgoneta de reparto sale del Centro de Misiones. Llevas contigo unos milagros que solo conoce Dios para la gente que solo identificó Él. Sin embargo, ahora sabes que entre la puerta de tu casa y tu destino de entrega quizá encuentres un momento de choque... ese punto donde la agenda de Dios para ti y tu propia agenda chocarán la una con la otra.

¿Cómo te puedes preparar por adelantado para evitar esos choques violentos? Para eso es la Llave de la Gente. Decide con antelación renunciar a tus derechos a escoger tus propios milagros, hacer tus propios planes y servir a tu Gente Favorita.

Decide con antelación renunciar a tus derechos a escoger tus propios milagros, hacer tus propios planes y servir a tu Gente Favorita.

Esto lo puedes hacer convirtiendo tus nuevas convicciones en una aceptación personal del sometimiento de tus preferencias a Dios antes que ocurra el choque.

Declaración de Derecho de Paso

Puesto que sé que mis propios planes y preferencias muchas veces chocarán con la agenda de milagros de Dios para mí, le someto por adelantado mis derechos a Dios.

- Acepto de buen grado mi papel de siervo, siguiendo el ejemplo de Cristo.
- Considero a cada persona que encuentre como una oportunidad potencial de milagro, sin importar lo sorprendido o poco preparado que me sienta.
- Acepto por adelantado dejar en las manos de Dios los detalles del momento y el lugar para mi próxima cita de milagros.
- Renuncio a mis expectativas, derechos y preferencias.
- Dejo a un lado mi expectativa de que esos a los que sirvo deben ser merecedores o agradecidos, porque a todos los sirvo «como para el Señor».
- Pongo mis ocupaciones para Dios y cualquier otra buena obra en segunda posición a fin de que Dios me guíe en el transcurso de la entrega de un milagro.
- Me comprometo a ver a otros a través de sus ojos y responder ante ellos con su corazón, no con el mío, pidiéndole al Espíritu que me ayude.
- Me quito mis lentes para Gente Favorita y en su lugar decido ver a los que sirvo, incluso a los que me parecen más desafiantes o desagradables, como a Cristo mismo, porque «en cuanto lo hicisteis a uno de estos hermanos míos, aun a los más pequeños, a mí lo hicisteis»[8].

Por lo tanto, ya no poseo los derechos de cómo sirvo. Esos pertenecen a Dios.

_____

Nombre y fecha

¿Adónde no nos enviará Él después?

Desde la perspectiva de Dios, el verdadero milagro en mi vuelo a Los Ángeles fue lo que hizo en el corazón de Gary mientras hablábamos en voz baja sobre los amigos y la muerte, el cielo y el infierno.

Desde la perspectiva de Dios, el verdadero milagro para Jonás nunca sucedió en realidad. Que nosotros sepamos, nunca llegó a abrir el corazón lo suficiente para dejar que entrara el corazón de Dios. El cuarto capítulo del libro de Jonás termina con un signo de interrogación. Dios le pregunta a Jonás: «¿Por qué no debería tener compasión por tus enemigos también?»[9]. Nunca escuchamos la respuesta de Jonás.

La promesa de la Llave de la Gente es que tú y yo lleguemos a escribir un quinto capítulo para nuestro propio «libro de Jonás». Mediante nuestra acción de intercambiar nuestras pasiones y prioridades por las de Dios, nos situamos en el mismo centro de lo que más le interesa a Él. Y eso que más le interesa es la gente.

Una vez que amemos a la gente con el corazón de Dios, alineamos nuestra agenda con la suya. Imagínate, entonces, lo motivado que está Dios al asociarse con nosotros tan a menudo como sea posible, entregar tantos milagros como sea posible, a tanta gente como sea posible. ¿Adónde no nos enviará después? Nosotros nos hemos comprometido con antelación a aceptar nuestra nueva misión de milagros, cualquiera que esta sea.

Ahora estás listo para colaborar con el Espíritu de Dios, a fin de realizar lo que solo puede hacer Él: el milagro mismo. Ese es el tema del próximo capítulo.

6

La llave del Espíritu

Tú naciste para asociarte con el Espíritu de Dios

«¡*Billy Graham viene a Caroni!*» Al menos, así anunciamos en aquel pueblo la reunión que tendríamos el viernes por la noche. Darlene y yo estábamos en la isla caribeña de Trinidad para ministrar durante el verano, y la pequeña iglesia local, construida sobre pilotes para atrapar la brisa del mar, ideó un gran plan: pedimos prestado un proyector y alquilamos una película de Billy Graham para presentarla gratis esa noche.

Todas las noches anteriores a la del viernes, los miembros de la iglesia se reunían para orar a fin de que vinieran muchas personas. Y cada noche, uno de los nuevos convertidos, un adolescente llamado Radha, nos decía que sabía que su padre nunca iría a la iglesia. «Jesús no es lo bastante fuerte para traer a mi padre», nos decía. Todos sabíamos que su padre era el borracho del pueblo y despreciaba a los seguidores de Jesús.

Llegó la noche del viernes. La gente llenaba las escaleras hacia la iglesia. Cuando comenzamos la reunión con cantos e historias, teníamos un lleno casi total.

Entonces lo escuchamos... el padre de Radha parado en la calle de abajo gritando palabrotas en la iglesia, a todos los que estaban dentro y a alguien llamado Billy Graham. Lo único que podíamos hacer era seguir con el programa.

Una jovencita de catorce años se levantó para orar. Le pidió a Dios que ayudara al padre de Radha a entrar por la puerta. En cuanto terminó de orar, oímos que alguien subía las escaleras haciendo un gran ruido. Era el padre de Radha que entró, miró a todo el mundo con el ceño fruncido y se sentó en la última fila.

Le sonreí a Radha y después presenté la película. Entonces, cuando eché a andar el proyector, sucedió lo impensable.

Nada. Solo unos minutos antes, el proyector estuvo funcionando a la perfección.

Comencé a sudar mucho y a orar por la ayuda de Dios. Varios tratamos de hacer que el proyector funcionara, pero no lo logramos. Entonces, mientras trasteábamos el aparato, el padre de Radha se puso de pie, soltó una maldición y se perdió en medio de la noche. Poco después, se marchó también su angustiado hijo.

¿Qué debía hacer? ¿Seguir trabajando con el proyector o atender a Radha? Lo que el Espíritu me indicó estaba claro. *Ve a ver a Radha.* Le dejé el proyector a otra persona y salí de la iglesia.

Lo encontré debajo de la iglesia, apoyado en uno de los pilotes. Estaba sollozando. «¡Lo sabía!», me gritó. «Sabía que mi padre nunca encontraría la verdad acerca de Jesús. ¡Y ahora se fue para siempre!».

A pesar del torbellino interno que sentía, tuve la impresión de que el Espíritu me dirigía a dar un paso muy osado. «Radha», le dije, «Dios tuvo poder suficiente para traer a tu padre a la iglesia por vez primera. Él tiene poder suficiente también para volverlo a traer. Vamos a orar ahora mismo tú y yo, y le vamos a pedir al Dios del universo que traiga de vuelta a tu padre, no solo para que vea la película, sino también para que se encuentre con Jesús esta misma noche».

Con la garganta tensa por la emoción, hice una sencilla oración de fe por el padre de Radha. Después, los dos regresamos a la iglesia.

Sin embargo, me bastó mirar a los ojos a Darlene para darme cuenta que seguíamos teniendo problemas. El proyector estaba muerto. La gente se preparaba para marcharse.

Si alguna vez necesitábamos un milagro de Dios, era en ese momento. Me dirigí hacia el frente y me disculpé por la contrariedad. Entonces me sentí impulsado a orar una vez más. «Señor, ahora te toca a ti», le dije. «¡Nosotros no podemos arreglar el proyector, pero tú sí puedes!»

Entonces, sintiéndome asustado y como un tonto a la vez, toqué el interruptor. De repente, ¡el proyector volvió a la vida! Todos lanzaron un grito. Dios demostró su poder de una manera que nunca olvidaríamos.

Y aún no había acabado. A los pocos minutos de comenzar la película, oímos unos pasos en las escaleras. Era el padre de Radha. Sin decir una palabra, entró y se volvió a sentar donde estuvo antes.

Una hora después, cuando terminó la película, hice una invitación. «Si usted quiere poner su fe en Jesucristo, tal como lo explicó Billy Graham, le voy a pedir que se ponga de pie y venga al frente, por favor».

El primero en levantarse fue el padre de Radha. Con las lágrimas corriéndole por el rostro, caminó hacia los brazos extendidos de su hijo.

Esa noche, todo un salón lleno de testigos observó cómo se movía en medio de nosotros el viento del Espíritu. Observamos cómo batalló de manera poderosa con unos poderes invisibles y obró en el corazón de un hombre iracundo para llevarlo a una nueva vida en Cristo. Y observamos cómo le demostró su amor y su poder a un joven lleno de dudas llamado Radha.

El ministerio sin el Espíritu de Dios solo se reduce a nuestros mejores esfuerzos.

El ministerio con el Espíritu de Dios es el material del que están hechos los milagros.

El ministerio sin el Espíritu de Dios solo se reduce a nuestros mejores esfuerzos. El ministerio con el Espíritu de Dios es el material del que están hechos los milagros.

«Sin ti, no puedo...»

Con nuestra próxima llave, el proceso de desencadenar todo un estilo de vida lleno de milagros será más evidente.

Primero, la Llave Maestra. Le pides a Dios que te envíe en una misión de milagros.

Después, la Llave de la Gente. Pides por el corazón de Dios y su agenda: la gente necesitada.

Sin embargo, ahora que te enviaron y tienes la agenda de Dios, te enfrentarás por vez primera con una pregunta sobrecogedora: ¿Cómo se supone que puedas hacer entrega de un suceso sobrenatural cuando no eres más que un ser humano por completo?

Esto nos lleva a la Llave del Espíritu. Cuando pones a funcionar esta llave en tu vida, te alineas de manera formal con tu socio celestial, el Espíritu Santo, para que haga la obra sobrenatural de Dios a través de ti día tras día. Le dices a Dios: «Sin ti, no puedo hacer lo que me mandaste hacer».

Con la Llave del Espíritu, te asocias al Espíritu Santo para entregar un milagro por el poder sobrenatural de Dios. Te comprometes con antelación a colaborar con el Espíritu en toda oportunidad, a fin de realizar la obra de Dios.

El hecho fundamental de la Llave del Espíritu es que mientras tú y yo podemos *entregar* un milagro, solo Dios es el que puede *hacerlo*. En realidad, es imposible realizar nada sin Él en el Territorio de Milagros Diarios. Y Dios obra por medio de nosotros mediante su Espíritu Santo.

Ahora bien, ¿notaste algo?, ninguna otra Persona de la Trinidad origina más confusiones y desacuerdos entre los asistentes a la iglesia. Hay quienes piensan que el Espíritu es una especie de fuerza benigna, aunque impersonal, como la fuerza de gravedad. Otros cuentan con Él para intensas experiencias emocionales. En los últimos años, gran parte de las enseñanzas acerca del Espíritu se han centrado en su obra dentro de nosotros; por ejemplo, su presencia consoladora o su papel de hacernos más semejantes a Cristo.

Este capítulo se centra a propósito, y de forma exclusiva, en otra cosa: la función vital que desempeña el Espíritu en nuestra labor como repartidores de los milagros de Dios. Queremos saber, ¿cómo realiza el Espíritu Santo la obra de Dios en nosotros y en la persona con la que hablamos? ¿Y cómo colaboramos?

Si te has pasado la mayor parte de tu vida trabajando fuerte para Dios en la Tierra de Buenas Obras, es posible que toda esta idea de asociarnos con una persona invisible quizá nos parezca simple especulación. Sin embargo, no lo es. El Espíritu de Dios es una Persona real y conocible en nuestro mundo. Y tú y yo nacimos para asociarnos con Él para una vida de milagros.

El Consolador enviado desde el cielo

Con frecuencia, les hago esta pregunta a las personas con las que me reúno: «¿Qué preferiría usted: que Jesús viviera en la casa de al lado o que el Espíritu Santo habitara dentro de usted, como ya lo está haciendo?».

¿Titubeaste? Muchos lo hacen, porque sienten que esto les exige que escojan entre Dios y... ¡Dios!

Otros se dejan llevar por una reacción instintiva: «¡Bueno, Jesús, por supuesto!». ¿Por qué un Dios Hijo presente de manera física no sería mucho mejor que un Dios Espíritu invisible?

Tal vez te sorprenda saber que Jesús ya respondió por nosotros esta pregunta. Leemos al respecto en su conversación con los discípulos la misma noche de su arresto. Les asegura a esos amigos suyos que, aunque se marcharía pronto, les enviaría un Consolador, el Espíritu de Verdad. Observa la razón que les da Jesús:

> *Os conviene que yo me vaya; porque si no me fuera, el Consolador no vendría a vosotros; mas si me fuere, os lo enviaré* [1].

La pregunta de los discípulos fue esta: «Jesús, ¿estás diciendo que nos va a ir mejor si nos dejas?».

La respuesta de Jesús fue: «Sí, a ustedes les conviene».

Entonces, Jesús les explicó los papeles que el Consolador desempeñaría en el mundo. Traería consuelo, guiaría a los discípulos a toda verdad y glorificaría a Jesús[2]. Presente en todas partes del mundo, el Espíritu de Dios se liberaría para hacer la obra del cielo. En todo tiempo y lugar, se comunicaría con los corazones de las personas, convenciéndolas de su necesidad de salvación y cambiando su destino para siempre[3].

No tuvo que pasar mucho tiempo después de la venida del Espíritu Santo para que los discípulos experimentaran la asombrosa ventaja de tenerlo como su Socio divino. Un día, Pedro le dijo a un hombre cojo: «En el nombre de Jesucristo de Nazaret, levántate y anda». Cuando el hombre saltó sobre sus pies, acudió corriendo una multitud atónita. Sin embargo, Pedro ya tenía una explicación:

> *Varones israelitas, ¿por qué os maravilláis de esto? ¿o por qué ponéis los ojos en nosotros, como si por nuestro poder o piedad hubiésemos hecho andar a este?* [4].

«No malentiendan lo que acaba de suceder», era lo que en realidad les decía Pedro. «No soy superpoderoso. Ni soy supersanto. Es más, no sané a este hombre, ni podría haberlo hecho. Dios lo hizo por medio de mí mediante su poder, no por el mío».

Lo que quiero que veas es que hoy en día, siglos después del tiempo de Jesús en la tierra, no tenemos menos de Dios con el Espíritu Santo. Mientras que Jesús solo podía estar en un lugar a la vez, el Espíritu es un don para todos los creyentes de todos los tiempos y del mundo entero. Sin los límites de un cuerpo físico, habita siempre con nosotros y en nosotros para dar testimonio de Cristo. Y solo por medio de su presencia y poder sobrenaturales podemos llevar a cabo nuestras misiones de milagros.

¿A qué se parece la asociación con el Espíritu en la vida de alguien? En la historia acerca de Radha y su padre que inicia este capítulo, viste lo inadecuado que era en mi propio poder humano para realizar lo que Dios quería que se hiciera. Eso significó que tuve que apoyarme en el Espíritu de muchas maneras:

- traer al padre de Radha a la reunión... y hacer que volviera
- dirigirme a seguir a Radha cuando salió de la iglesia, en lugar de encargarme de los asistentes y de nuestras dificultades técnicas

- tener la valentía de orar con osadía para que regresara el padre de Radha
- sentirme impulsado a tratar de echar a andar el proyector una última vez
- obrar en el corazón del padre de Radha para traerlo a la salvación
- mostrarle al propio Radha el poder y la bondad de nuestro Dios viviente

Ahora bien, ¿cómo puedes *tú* llegar a ser socio del Espíritu?

Un mensaje para Marta

Lauren, una joven que conozco, iba camino de un trabajo de dos semanas que le asignó su compañía con sede en Nueva York. Durante todo el proyecto, se hospedó en el mismo hotel. Además de cumplir con los compromisos relacionados con su trabajo, Lauren le pidió a Dios que la enviara a hacer *su* obra.

Durante sus ejercicios matutinos en el gimnasio del hotel, notó la presencia de una diminuta mujer hispana que siempre estaba ocupada limpiando. Cuando Lauren la saludaba por su nombre y le preguntaba cómo le iba, a la empleada parecía iluminársele el rostro. «Marta levantaba la vista hacia mí y le resplandecía la cara», recuerda Lauren.

Cuando le faltaba poco para marcharse, Lauren pasó por una tienda *Target* para comprar unas cuantas cosas. Entonces fue cuando le vino Marta a la mente. Dios le sugirió que le comprara algo para que se sintiera como alguien especial. Insegura de lo que debía hacer, pero sin querer perderse lo que Dios pudiera estar haciendo, Lauren hizo una pequeña colección de artículos femeninos, incluyendo una loción y unas sales aromáticas para el baño.

En su última mañana en el hotel, Lauren le entregó a Marta su regalo. La empleada se sintió sorprendida y encantada. «¡Gracias, gracias!», le dijo con timidez. «Usted no tiene idea de lo mucho que esto significa. Estoy muy cansada al final del día. ¡Esto es maravilloso!»

Marta mencionó las flores que llevaron a la habitación de Lauren el día anterior. «¡Ah, son hermosas!», exclamó. Lauren estuvo de acuerdo en que eran bellísimas.

De vuelta en su habitación, Lauren hacía las maletas para irse cuando el Espíritu le sugirió algo de nuevo. Esa vez se trataba de las flores que le envió su esposo. *Ahora esas flores son para Marta. Necesita saber que es hermosa.*

Sin titubear un instante, Lauren salió en busca de Marta. «Estas flores son para ti», le dijo, entregándoselas. «Dios quiere que las tengas tú».

Marta se quedó boquiabierta. Tomó a Lauren por la mano y la hizo entrar en una habitación cercana. «Usted no sabe por qué esto significa tanto para mí», le dijo con los ojos llenos de lágrimas. «Nadie se fija en mí nunca. Ni siquiera me saludan. Durante estas dos semanas pasadas, he estado deseando venir a trabajar, porque sé que usted sí me ve. Y ahora me está demostrando que Dios me ve también».

No tengo duda alguna de que esa sirvienta siempre recordará el día en que Dios le envió dos lujosos recordatorios de su amor.

¿En la historia de Lauren divisaste la acción del Espíritu? Lauren le pidió a Dios que la enviara. Entonces, Dios la guió a hacerle un regalo a la sirvienta. Lauren no tenía idea alguna de las necesidades que tenía Marta, pero el Espíritu las conocía a la perfección. Y por medio de Lauren, le pudo hablar a Marta directamente al corazón: «Te veo y quiero darte flores hoy».

La historia de Lauren muestra la clase de milagro específico para el corazón que Dios puede entregar por medio de cualquiera de nosotros cuando somos sensibles a la dirección de su Espíritu.

Cómo obra el Espíritu

En la práctica, ¿cómo obran juntos el Espíritu de Dios y sus siervos para entregar un milagro? En los próximos capítulos sobre señales y pasos, nos enfocamos a fondo en estos aspectos prácticos. No obstante, por ahora, veamos algunas de las formas en que el Espíritu hace lo que nosotros no podemos hacer durante un encuentro de milagro:

El Espíritu conoce a la otra persona. El Espíritu, quien «todo lo escudriña», tiene un conocimiento íntimo y total de todos, incluyendo a la gente que nos envía para que la ayudemos[5]. Sabe lo que pensaban cuando despertaron, lo que les sucedió ayer en su trabajo y los secretos que planean reservarse hasta la muerte. Sabe qué clase de don o de aliento es probable que rechacen o que desvíen de sí, y qué clase de gestos les van a llegar directo a su corazón.

El Espíritu nos conoce. El Espíritu también conoce nuestros puntos fuertes y débiles, nuestros temores y nuestras limitaciones, y nos guía con determinación a la persona necesitada. No se trata de que el Espíritu de Dios sea una fuerza impersonal que mueva los objetos de un lado para otro en un tablero de ajedrez. Él nos conoce a la perfección, nos ama también de manera perfecta, y nos puede reunir muy bien con la persona adecuada, en el momento debido, para que le entreguemos el mensaje preciso que necesita.

El Espíritu nos guía. Jesús dijo: «Cuando venga el Espíritu de verdad, él os guiará a toda la verdad»[6]. ¿Cómo es esto de que nos guía?

La historia de Lauren nos muestra que, por lo general, la respuesta que le damos a la dirección del Espíritu es un proceso natural. A una persona que se halle fuera de este proceso, la sensibilidad ante la dirección del Espíritu le podrá parecer demasiado misteriosa para comprenderla o darle crédito. Sin embargo, durante un encuentro preparado por Dios, cuando le pides que te envíe y te apasiona ser su socio en la realización de su agenda, sabrás lo que quiere Él. Esto es lo que promete Dios:

> *Te haré entender, y te enseñaré el camino en que debes andar; sobre ti fijaré mis ojos[7].*

En la mayoría de los casos, Dios nos guía más de lo que nos damos cuenta. No tenemos que mirar a nuestro interior en busca de una emoción especial, ni de una voz interna. El Espíritu nos guía *mientras nos movemos* para servir a Dios. El Nuevo Testamento usa palabras como «son guiados», «estaba entregado», e incluso, en algunas ocasiones «les fue prohibido», para

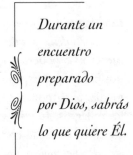

Durante un encuentro preparado por Dios, sabrás lo que quiere Él.

describir la forma en que el Espíritu les comunica los propósitos de Dios a sus siervos[8]. Nuestra parte es comenzar a hacer todo lo que sepamos que Él quiere de nosotros y después mantenernos a la espera de nuevas instrucciones.

El Espíritu habla del Padre y del Hijo. Dios Padre dirige todo lo que hace el Espíritu, y es con un propósito: llevar a cabo la agenda del cielo y darle la gloria a Jesús, el Hijo de Dios. Cuando el Espíritu obra en el corazón de la otra persona, le comunica la verdad acerca de su necesidad, el carácter de Dios y la Persona y obra de Cristo[9]. Como verás en numerosas ocasiones en los capítulos que restan, uno de los momentos más emocionantes cuando uno entrega un milagro es cuando miras al rostro a la otra persona y te das cuenta de algo: «¡Dios está aquí! Él está obrando. ¡Soy testigo de su obra justo delante de mis ojos!».

El Espíritu nos da poder. En Hechos 4, se describen a los discípulos predicando el evangelio con denuedo. Por ejemplo: «Entonces [los líderes religiosos de Israel] viendo el *denuedo* de Pedro y de Juan, y sabiendo que eran hombres sin letras y del vulgo, se maravillaban; y les reconocían que habían estado con Jesús»[10].

Recuerda que estos eran los mismos hombres que solo unas semanas antes huyeron llenos de miedo cuando arrestaron a Jesús. ¿Qué cambió? El Padre envió al Espíritu, tal como lo prometió Jesús, y ellos experimentaron su poder[11].

Tú y yo tenemos a ese mismo Espíritu obrando con poder a través de nosotros cuando le pedimos a Dios que nos envíe a una misión de milagros. Sí, la tarea es demasiado grande para nosotros. Aun así, no estamos solos. Somos socios del Espíritu de Dios, y eso es lo que cambia todo.

El Espíritu es quien hace el milagro. Estamos en sociedad con la fuerza más poderosa que existe en la tierra: con Dios mismo. Y se nos ha dado el Espíritu Santo para que podamos hacer buenas obras mediante su poder. Él es nuestro Consolador. Es el único que hace los milagros. Tú y yo solo tenemos la bendición de que nos inviten a entrar en sociedad con Él.

¡Pero a nosotros nos toca hacer el trabajo! Me gusta decir que a pesar de que el Espíritu lleva la carga, nosotros tenemos que mirar nuestra

sociedad como «un cien por cien del Espíritu y un cien por cien mío». Nosotros hacemos el trabajo y el Espíritu nos da el poder para hacerlo. Por lo tanto, si te guía a testificar, a manifestar compasión, a ayudar a los pobres y a los necesitados o a compartir con alguien tus recursos, tu parte es abrir la boca, el corazón y la billetera... empezar. El Espíritu te dará valentía, dirección, información y todo lo demás que necesites *en el proceso* de tu obediencia, no separada de esta.

Dados el poder y la promesa de nuestra asociación divina, ¿qué te impediría tomar la Llave del Espíritu y abrir los milagros en tu vida hoy?

Nuevos pensamientos acerca del Espíritu

Es hora de darles un vistazo a nuestras creencias básicas acerca del papel del Espíritu en los milagros. No hay nada que cambie lo que hacemos, como un cambio en lo que creemos en realidad. Puesto que las creencias determinan la conducta, los conceptos erróneos acerca del papel del Espíritu como nuestro socio esencial en una misión divina les impiden a millones comenzar siquiera.

Trata de reconocer tus creencias o tus suposiciones no declaradas en estos conceptos erróneos comunes:

Mi comprensión de la naturaleza del Espíritu
Creencia A. El Espíritu de Dios es demasiado escurridizo, impersonal e imprevisible para que me pueda llegar a conectar con Él de una manera práctica para entregar un milagro.
Creencia B. El Espíritu Santo es real, personal y conocible, y me invitaron a comprender quién es Él y cómo obra, lo cual incluye el aspecto de los milagros diarios.

Mis sentimientos y el propósito del Espíritu
Creencia A. El propósito principal del Espíritu es ayudarme a sentirme espiritual o cerca de Dios, en especial cuando adoro.
Creencia B. El propósito principal del Espíritu es ayudarme a realizar la agenda de Dios en la tierra.

Mi confianza propia contra la asociación con el Espíritu
Creencia A. Es probable que pueda realizar todo lo que Dios quiere que haga hoy mediante la fidelidad en mis propios esfuerzos y mi disciplina.
Creencia B. Solo puedo realizar todo lo que Dios quiere que haga hoy mediante la asociación con su Espíritu.

Mi idoneidad para asociarme con el Espíritu
Creencia A. Es probable que Dios no tenga hoy una agenda de milagros para mí que me exigiría asociarme con el Espíritu, porque no estoy preparado ni dotado en especial.
Creencia B. El Espíritu está disponible por igual para todos los que conocen a Cristo, y Dios quizá tenga para mí una agenda de milagros que me exija entrar en sociedad con el Espíritu.

Si te ves en alguno de los malentendidos de las Creencias A, necesitas tomar dominio de tus pensamientos y cambiar tu manera de pensar. Por experiencia personal, te puedo decir que las creencias erróneas te impedirán por completo el uso de la Llave del Espíritu para liberar una vida de milagros. (Por ejemplo, no serás capaz de responder a la próxima llave, que es la Llave del Riesgo, si sigues tus propias inclinaciones naturales, en lugar de caminar en el Espíritu).

Sin embargo, cuando cambies de manera de pensar y comiences a vivir de acuerdo con la verdad, florecerá tu vida de milagros.

Carta abierta al Espíritu
Para usar la Llave del Espíritu como una acción transformadora para tu vida, afirma primero tus nuevas y verdaderas creencias de la sección anterior.

Luego, te sugiero que le escribas al Espíritu una carta de disculpa y compromiso, como lo hizo un amigo mío.

Carta abierta al Espíritu acerca de nuestra asociación mutua
Amado Espíritu Santo:
Reconozco ahora que todos los milagros son obra tuya. Por tanto, te pido perdón por la frecuencia con que he pasado

por alto o malentendido en el pasado tu dirección. Muchas veces te he marginado y he despersonalizado tu papel en mi vida. He delegado tu obra a los «profesionales» y a los líderes espirituales. He valorado en gran medida las soluciones humanas en situaciones en las que solo un acto sobrenatural tuyo habría podido traer la solución del cielo. He hecho cuanto he podido por no necesitarte, por no vivir en sociedad contigo.

Lo siento. ¿Cómo pude haber sido tan necio? Te ruego que me perdones. Ahora conozco la verdad y quiero cambiar.

Me comprometo con antelación a colaborar contigo y a seguir todos los días tu dirección, en especial en todas las oportunidades para milagros que me pongas en el camino. Te abro mi mente y mi corazón, y te pido que me enseñes en los días que tengo por delante a asociarme contigo de una manera práctica, gozosa y eficaz que les lleve el cielo a otros y honre a Dios. En el nombre de Jesús te lo pido, amén.

[firma] _____

Conviértete en un jugador experimentado del equipo

Ahora que te comprometiste a entrar en sociedad con el Espíritu de Dios para sus milagros, le señalas al cielo que Dios puede contar contigo para hacer su obra a su manera para la entrega de esos milagros.

¿Significa esto que debas esperar que el Espíritu te dé unas visiones asombrosas como las que les dio a su siervo Isaías y a otros personajes bíblicos? No. ¡Tú no eres uno de ellos! Dios te creo para que seas tú. Puedes estar seguro de que Él nunca te llevará al fracaso. Todo lo que te pedirá es que des el siguiente paso que te ponga delante.

La emocionante promesa de la Llave del Espíritu es que mientras mayor sea tu determinación en asociarte con el

Cuando el Padre tenga en mente una misión de milagros, te irá enviando cada vez con mayor frecuencia, porque te convertirás en uno de los jugadores fieles de su equipo.

Espíritu Santo, más liberará Él su poder y sus intenciones a través de ti. Cuando el Padre tenga en mente una misión de milagros, te irá enviando cada vez con mayor frecuencia, porque te convertirás en uno de los jugadores fieles de su equipo.

Es más, prepárate para convertirte en uno de los «repartidores» favoritos de Dios. ¿Por qué? Porque Él sabe que no tratarás de hacer lo imposible por tu cuenta. En su lugar, te asociarás con su Espíritu para esos momentos de milagros en la tierra.

7

La llave del riesgo

*Tú naciste para correr riesgos de fe
en dependencia de Dios*

El tránsito a través del centro de la ciudad de Atlanta pasó de ser lento a detenerse por completo, y con él parecían disiparse mis esperanzas de abordar mi vuelo. ¿Qué iba a hacer? Era el único orador programado para una importante conferencia. Mientras llegaba y pasaba la hora en que debía despegar mi vuelo, hice una desesperada oración que tal vez tú también hayas hecho alguna vez: «¡Señor, por favor, atrasa mi vuelo!».

Cuando por fin llegué a la terminal, mucho después de la hora en que estaba programada la salida del vuelo, subí corriendo la escalera mecánica, sintiéndome un poco tonto, hasta por el hecho de estar allí. Sin embargo, en las pantallas que avisaban las salidas parpadeaba la palabra que había tenido la esperanza de ver: «Atrasado».

En la puerta, miré por la ventana y le di gracias a Dios por lo que hizo. «Ahora quiero hacer algo por ti», oré. «Por favor, envíame una cita de milagro». Respiré hondo y di media vuelta, creyendo, como me ha pasado con tanta frecuencia, que la persona que Dios tenía en mente se me haría evidente de inmediato.

De pie junto a mí estaba una mujer de negocios bien vestida, que también acababa de llegar a la puerta del avión.

—Al parecer, usted también está contenta de que el avión se retrasara —le dije en un intento por comenzar la conversación.

Ella asintió. Entonces, corrí un riesgo.

—¿En qué la puedo ayudar? —le pregunté.

—¿Cómo?

—No, de veras, ¿qué puedo hacer por usted?

—Usted no puede hacer nada por mí —me dijo con toda tranquilidad.

Por supuesto, ¿por qué habría de esperar que le llegara ayuda de una manera tan poco corriente? Sin embargo, debido a mis experiencias anteriores, sabía que le debía dar tiempo al Espíritu para que obrara.

Conversamos acerca de otras cosas y entonces volví a intentarlo.

—Sé que mi ofrecimiento no es algo común —le dije—, pero tal vez haya algo que la esté molestando. ¿Puedo hacer algo por usted?

La mujer pareció tranquilizarse y después sacar algo de lo más profundo del corazón.

—En realidad, voy a tomar este vuelo rumbo a casa para divorciarme de mi esposo —me dijo.

—Lamento escuchar eso —le dije—. Esa debe ser la razón por la que estoy aquí.

Mientras hablábamos, su resistencia comenzó a desaparecer. Se llamaba Sophie, y sus modales y atuendo tan profesionales no pudieron esconder su angustia. Cuando comenzó a hablar, los ojos se le llenaron de lágrimas. Su esposo le había sido infiel. Aunque ahora quería corregir la situación, ella ya se había cansado. Para ella, su matrimonio estaba muerto. Sin embargo, mientras hablábamos, ya estaba buscando una llave de milagros sobre la cual aprenderás más detalles en la cuarta parte de este libro.

Cuando nos llamaron para abordar el avión, fuimos los últimos en subir por la rampa. Sophie parecía preocupada.

—Todavía no hemos terminado de hablar de esto —me dijo.

—No se preocupe —le dije—. Nos vamos a sentar juntos en el avión.

—¿Qué quiere decir? —me respondió—. Usted ni siquiera sabe cuál es el asiento que tengo reservado.

—Yo no —le dije—. Pero Dios sí lo sabe y Él es el que nos va a sentar juntos.

—¿Dios? —exclamó.

—Si usted fuera Dios —le dije tratando de hablar con toda serenidad—, ¿no querría que nos sentáramos juntos para que pudiéramos terminar esta conversación que es tan importante?

Ella movió la cabeza con incredulidad.

Comparamos nuestros pases de abordaje. Estábamos a cinco filas de distancia y el vuelo iba repleto. Ahora yo había quedado en evidencia... y Dios también.

Sophie tomó su asiento, pero cuando me preparaba para tomar el mío, el hombre que estaba en el asiento de al lado de ella se volvió y me miró. «Le cambio mi asiento por el suyo, para que ustedes dos puedan seguir hablando. Detesto los asientos del medio».

Nunca olvidaré aquel vuelo. Dios se manifestó muy fuerte y compasivo. Cuando aterrizamos, Sophie ya no era la misma persona. Apenas podía creer lo sucedido. Experimentó un poderoso milagro de perdón y se comprometió a darle otra oportunidad a su matrimonio.

El indispensable paso del riesgo

Ahora que conoces el final feliz, te diré que mientras entraba al avión detrás de Sophie, no me sentía nada seguro.

Verás, había corrido un inmenso riesgo cuando le dije a Sophie: «Dios nos va a conseguir dos asientos que estén juntos». Aunque creía que Dios quería que siguiéramos aquella conversación, no tenía garantía alguna de que actuaría en el asunto de los asientos. Si Él no actuaba, yo quedaría como un tonto, y cuanto pensamiento tuviera Sophie de que Dios se estaba revelando en su vida, se desvanecería.

Entonces, tal vez te estés preguntando por qué corrí un riesgo así. ¿Acaso no podría Dios satisfacer las necesidades de Sophie de alguna otra manera?

Mi respuesta llega hasta el centro mismo de esta llave. En dos ocasiones actué de maneras que demostraron ser necesarias para el milagro que recibió Sophie. ¿Cuáles fueron esas dos acciones? *Ejercité mi fe* de manera deliberada, primero cuando le pregunté cómo la podía ayudar y después cuando le dije que Dios nos daría dos asientos que estuvieran juntos. Le pedía a Dios que le revelara a Sophie su bondad y su compasión de una forma milagrosa, y procedí con la fe de que Él lo haría.

Corrí unos *riesgos* de fe.

Tú sabes lo que es la fe, casi todos lo saben.

«¡Lo creemos!», gritamos en los juegos de pelota, para indicar que creemos que lo ganaremos si tenemos fe. No obstante, esta es una fe en nosotros mismos o en el equipo que apoyamos.

«Ten fe en Dios», nos decimos unos a otros, dando a entender que le podemos confiar nuestra vida y nuestras esperanzas a un Dios bueno y poderoso. Sin embargo, esta fe suele ser pasiva, centrada en nuestra vida interior y destinada a consolar. Aunque estas expresiones de fe sean importantes y maravillosas, no son las clases de fe de las que te quiero hablar en este capítulo.

Una vez que sabemos que nos enviaron, corremos riesgos deliberados que nos ponen en una situación en la que dependemos por completo de Dios para un milagro.

La fe de la que estoy hablando aquí se halla directamente relacionada con nuestra actuación como socios de Dios en los milagros. Esta fe consiste en lo que *hacemos* porque creemos en Él. Por eso la describo como una fe activa, centrada en el exterior y, por lo general, muy *inquietante*. Una vez que sabemos que nos enviaron, y a quién nos enviaron, corremos riesgos deliberados que nos ponen en una situación en la que dependemos por completo de Dios para un milagro. Al hacer algo así, le declaramos a Él: «Tengo fe en que quieres intervenir en esta situación y, por eso, ejercitaré esa fe en que lo vas a hacer. De esa manera, cuando actúes, resplandecerán tu bondad y tu gloria».

Cuando Dios se manifestó aquel día en el avión, eso fue justo lo que sucedió. Sentada junto a mí, con la sorpresa reflejada en el rostro,

Sophie comenzó a ver que Dios había intervenido en su favor ese día y que se interesaba de manera profunda por ella. Ambos supimos que Dios terminaría el milagro que comenzó. Y lo hizo.

En el capítulo anterior sobre la Llave del Espíritu, aprendiste que Dios desempeña una parte indispensable en cada verdadero milagro y que nos debemos asociar a su Espíritu para que se produzca un milagro.

En este capítulo descubrirás *tu* parte indispensable. Debes comprometerte con antelación a actuar en fe, dependiendo de Dios para un milagro. A esto le llamo la Llave del Riesgo.

La Llave del Riesgo es una acción deliberada que realizas, a pesar de sentirte incómodo o temeroso, a fin de ejercitar tu fe durante la entrega de un milagro. Al enfrentarte a un abismo insalvable entre lo que puedes hacer y lo que ves con claridad que Dios quiere hacer, te arriesgas a actuar de todas formas, dependiendo de Él para que cumpla su parte. Cuando Dios salva ese abismo de una manera sobrenatural, te capacita para que entregues tu milagro y manifiestes su gloria.

¿Hasta qué punto es necesaria esa llave en el ámbito de los milagros? Por ejemplo, si no corremos un riesgo de fe, ¿ocurrirá alguna vez un milagro?

Estas preguntas nos llevan a una importante observación. Tal vez pienses que Dios puede hacer un milagro por medio de ti cada vez que quiera. Sin embargo, lo cierto es que no puede; o al menos, no lo hace. ¿Cómo puedo decir algo así? Por supuesto que Dios es todopoderoso. Con todo, Jesús mismo afirmó con claridad que nuestra fe causa un impacto directo en que se produzca o no un milagro.

Es más, hay ocasiones en que somos nosotros los que impedimos que se produzca el milagro que quiere hacer Dios.

La conexión entre tu fe y la respuesta de Dios

Cuando los discípulos de Jesús le preguntaron por qué no podían hacer un milagro en particular, Él les contestó que su limitación se debía a su incredulidad. En otras palabras, su incredulidad impidió literalmente que se produjera un milagro.

En cambio, Él les dijo que tuvieran fe del tamaño de un grano de mostaza, «diréis a este monte: Pásate de aquí allá, y se pasará; y nada os será imposible»[1].

¡Qué declaraciones tan asombrosas! Las palabras de Jesús revelan al menos dos importantes verdades para los enviados acerca del papel de la fe en lo milagroso:

- La cantidad de nuestra fe está directamente relacionada con la probabilidad de que entreguemos un milagro.
- La cantidad de nuestra fe está directamente relacionada con el tamaño del milagro que entregaremos.

Observa, además, que Jesús no dice que si tenemos fe en Dios del tamaño de un grano de mostaza, le *podremos* decir a un monte: «¡Pásate!». Lo que afirma es mucho más extraordinario. Dice que si tienes una fe del tamaño de un grano de mostaza, *le vas a decir* al monte: «¡Pásate!». Jesús usa las imágenes del grano y del monte para ayudar a sus oyentes a captar el poder de la fe para influir de manera exponencial en el resultado. Podríamos replantear su enseñanza de esta manera: la fe genuina en Dios cambia de una manera tan radical lo que sabemos que es posible, que *cambiará* también lo que intentemos *y* lo que lograremos para Él.

La asombrosa promesa de Cristo con respecto a la fe nos lleva a preguntarnos: *¿Qué es lo que impide que entreguemos grandes milagros? ¿Qué otro poder empuja la fe tan lejos de la escena que Dios ni siquiera llega a actuar?*

Jesús reveló la respuesta también. Por ejemplo, leemos que no hizo milagros entre los habitantes de su propia ciudad de Nazaret «a causa de la incredulidad de ellos»[2]. ¿Te das cuenta de la conexión? Quería hacer milagros; encontró incredulidad; Él no hizo milagros. Esta relación de causa y efecto nos indica que la incredulidad actúa como un poder negativo correspondiente a la fe. La incredulidad es lo opuesto a la fe, y Jesús demostró que tiene el poder suficiente para impedir los milagros.

Debemos llamar a nuestra incredulidad en nuestro Dios todopoderoso, dondequiera que se encuentre, y rechazarla.

Es evidente que si tú y yo queremos llevar un estilo de vida en el que Dios obre por medio de nosotros de maneras sobrenaturales cada vez que Él lo decida, debemos actuar. Debemos identificar nuestra incredulidad en nuestro Dios todopoderoso, dondequiera que se encuentre, y rechazarla. Después, debemos *ejercitar* nuestra fe. ¿Por qué? Porque hay una conexión directa entre lo que iniciamos con fe y la forma en que Dios responde con su poder sobrenatural.

Una de mis imágenes favoritas de la diferencia entre la incredulidad y la fe en acción, entre la fe pasiva y la fe que se arriesga, es la bien conocida historia de Pedro dando su improbable paso desde una barca sólida hasta... nada menos que el agua.

¿Recuerdas la escena? Una noche borrascosa los discípulos atravesaban el mar de Galilea en medio de una tormenta. De repente, apareció una extraña figura que caminaba sobre las olas. Los hombres estaban seguros de que era un fantasma. Sin embargo, Jesús los llamó: «¡Tened ánimo; yo soy, no temáis!»[3].

En cuestión de segundos (que nosotros sepamos), Pedro tuvo una idea. Una idea muy arriesgada. Le dijo a Jesús:

Señor, si eres tú, manda que yo vaya a ti sobre las aguas. Y él dijo: Ven. Y descendiendo Pedro de la barca, andaba sobre las aguas para ir a Jesús[4].

Ese primer paso... ¡qué experiencia! ¡Qué riesgo! Te apuesto a que Pedro recordó lo que sintió al dar ese paso por el resto de su vida. Y todo lo que necesitó para salir de la barca e ir a las olas fue una orden de Jesús: «Ven».

¿No es interesante que todos los demás que estaban en la barca se quedaran allí? Todos pasaron los mismos meses y años con Jesús, vieron los mismos milagros y escucharon las mismas enseñanzas. Todos aceptaron la misma teología apropiada.

Sin embargo, solo Pedro corrió el riesgo de fe... y solo Pedro experimentó un milagro.

A pesar del palpitante temor, Pedro salió de la barca con una activa dependencia solo de Dios, creyendo que su fe salvaría la distancia entre la barca y Jesús. Cuando Jesús salvó ese abismo con un milagro, todos los que estaban en la barca «adoraron [a Jesús], diciendo: Verdaderamente eres Hijo de Dios»[5].

Si conoces la historia, sabes que omití la parte favorita de todos. Allí fuera en su acuático paseo, Pedro aparta los ojos de Jesús, tiene un ataque de pánico y comienza a hundirse. «¡Señor, sálvame!», grita.

Al momento Jesús, extendiendo la mano, asió de él, y le dijo: ¡Hombre de poca fe! ¿Por qué dudaste? [6]

Es fácil leer esas palabras y concluir que Jesús regañaba a Pedro. Yo no lo creo. Me parece que se sentía complacido con su exuberante expresión de confianza.

La imagen que me viene a la mente es la de un padre con los brazos extendidos, observando a su hijita dando sus primeros pasos hacia él. ¿Te puedes imaginar el momento? La nena está lista, con los ojos como platos fijos en el papá, y una ingenua sonrisa dibujada en el rostro. Entonces, se ríe, se suelta del dedo de mamá y comienza a dar los primeros pasos por este mundo tan inmenso hacia papá.

De repente, la pequeña se da cuenta de que no tiene ni idea de lo que está haciendo. Mira la alfombra. Su sonrisa desaparece. Se tambalea, se desvía y entonces, *¡pumba!* Cae sentada, preguntándose qué acaba de suceder.

Ahora bien, ¿qué hacen mamá y papá en ese momento? La aplauden, por supuesto. ¿Cómo se sienten? Orgullosos al máximo por la nena y porque ya dio su primer paso. Ese día lo recordarán para siempre. «¡Mi amor, qué bien lo hiciste!», le dicen. Y al cabo de un minuto: «¿Lo quieres intentar otra vez? Ahora, esta vez mira a papá. Solo mira a papá...».

¿Reconoces aquí un patrón? Un riesgo de fe exige que ejercitemos nuestra fe de tal manera que intentemos lo que no podemos hacer, dependiendo de Dios para que haga lo que solo puede hacer Él. Sin embargo, raras veces se va a necesitar que ejercitemos nuestra fe una sola vez. Ni siquiera lo fue en mi encuentro en el aeropuerto. Tampoco lo fue para la nena que atraviesa con torpeza la alfombra hacia su papá. Ni para Pedro. Los riesgos de fe se requieren *a través* de la experiencia del milagro. Pedro inició un milagro al correr un gran riesgo de fe. Entonces, cuando se fijó en las olas en lugar de fijarse en Cristo, permitió que su miedo venciera a su fe. (Te enseñaré a convertir el temor en ventaja cuando lleguemos a la señal de alerta del capítulo 8).

Sin embargo, he aquí lo primordial: no importa lo que tú y yo creamos, no importa lo que sintamos, no importa cuán cerca estemos de Dios, mientras sigamos en la barca no tendremos una fe arriesgada, ni experimentaremos milagros.

La forma de triunfar en la entrega de un milagro no consiste en mantenernos secos. Consiste en mantener los ojos fijos en lo que quiere hacer Dios y no en la profundidad de las aguas ni en las furiosas tormentas que se extienden entre nosotros y el milagro. Luego, damos ese primer paso emocionante.

Cambia tu manera de pensar sobre la fe y los milagros

Por razones que solo comprendemos en parte, Dios realiza sus mayores milagros cuando actuamos con una total dependencia de Él. Aun así, seamos sinceros: casi todo lo que tiene que ver con esta clase de dependencia se opone a nuestros instintos, nuestra experiencia y nuestro sentido común.

Por eso, para la mayoría de la gente, la Llave del Riesgo exige un importante cambio en su manera de pensar. Lee despacio y en voz alta estas declaraciones de fe a fin de identificar tus creencias viejas y nuevas acerca del papel de la fe en tu vida de milagros:

Cómo mi fe se conecta a los milagros

Creencia A. La fe para los milagros solo me exige que crea en Dios, no que actúe según esa creencia.

Creencia B. La fe para los milagros me exige que ejercite mi fe. En concreto, debo actuar para correr riesgos basados en lo que creo acerca de Dios y lo que creo que Él quiere hacer.

Cómo el riesgo libera una oportunidad de milagro

Creencia A. Durante una misión de milagros, nunca me debo poner a mí mismo, ni a Dios, en una situación riesgosa.

Creencia B. Durante una misión de milagros, muchas veces hace falta que corra riesgo de fe a fin de liberar un milagro en favor de otra persona.

Cómo debo responder a la inquietud o al temor durante una oportunidad de milagro

Creencia A. Cuando siento inquietud o temor durante una misión de milagros, es una señal de que Dios no está en lo que hago o de que no soy la persona adecuada para hacerlo. Por tanto, si siento temor, no debo seguir adelante.

Creencia B. Debo seguir adelante *a pesar de* la inquietud o del temor. Es más, debo reinterpretar esos sentimientos como normales, e incluso prometedores, en el transcurso de una misión de milagros.

Cada una de las creencias del grupo «A» describe una suposición común acerca de la relación entre la fe y las oportunidades de milagros. Además, cada una es un error y una trampa. En realidad, cualquiera puede poner obstáculos de modo significativo en tu potencial para asociarte con la agenda sobrenatural de Dios, en el Territorio de Milagros Diarios.

En cambio, las creencias del grupo «B» forman el núcleo de verdades que componen la Llave del Riesgo. ¿Las has hecho tuyas en realidad?

Debemos aferrarnos a la verdad acerca del papel de la fe en un milagro. Nuestra total dependencia de Dios, que expresamos cuando corremos un riesgo por fe, le da mayor cabida para actuar.

Sin embargo, aún queda un enorme obstáculo que impide que las personas pongan en acción lo que saben acerca de los milagros. Lo delicado es que tiene justo el mismo aspecto que el temor, pero no lo es.

La raíz del temor

Todos sentimos temor cuando estamos a punto de hacer algo que significa un riesgo considerable. El riesgo, al fin y al cabo, significa que el éxito no está garantizado. Y casi nunca actuamos cuando sentimos temor.

Sin embargo, el temor es un fruto, no es la raíz. La raíz es la incredulidad de nuestro corazón. Por eso, el mayor de los obstáculos que se opone a una vida marcada por los milagros no es el temor, sino la incredulidad.

La incredulidad es nuestra renuncia a creer que Dios es quien dice que es y que hará lo que Él dice que hará. Cuando reaccionamos con incredulidad, le decimos a Dios: «Tú no eres confiable. Por tanto, si enfrento una situación que dependa de tu acción, no me arriesgaré».

Piensa en el aspecto de la incredulidad desde la perspectiva de Dios. Se podría ilustrar con el niño que se niega a saltar hacia los brazos de su padre, porque cree que su papá no lo va a atrapar... e incluso tal vez ni quiera atraparlo. O con Pedro, negándose a salir de la barca, por creer que si se comenzaba a hundir, Jesús no extendería el brazo para salvarlo. O con cualquiera de nosotros que es salvo, bendecido, protegido, atendido en sus necesidades y consolado por nuestro Padre celestial, solo para decirle: «Sí, tú has hecho todas esas cosas y más por mí, y sé que quieres lo mejor para mí, pero a pesar de todo, no confío en ti».

Cuando los habitantes de Nazaret demostraron no tener fe en Jesús a pesar de que observaron de primera mano sus milagros, Él «estaba asombrado de la incredulidad de ellos»[7]. ¿Por qué estaba asombrado Jesús? Porque se habían aferrado a su incredulidad aun frente a las abrumadoras evidencias de que se habrían debido aferrar a la fe.

La lección para nosotros es clara. No destruimos la incredulidad de nuestro corazón a base de armarnos de valor, ni de avivar las llamas de las emociones. La destruimos al rechazar las mentiras, proclamar la verdad y actuar de acuerdo a ella. Entonces, nos llenamos de valor a pesar del temor... y salimos de nuestra barca.

> *No destruimos la incredulidad de nuestro corazón a base de armarnos de valor, ni de avivar las llamas de las emociones. La destruimos al rechazar las mentiras.*

Tú puedes tomar medidas hoy mismo para moverte desde la incredulidad a una fe activa mediante la aplicación de cinco pasos sencillos, pero profundos:

- Proclama que Dios es quien dice que es.
- Admite ante Dios que la incredulidad es pecado y pídele perdón por haber dañado la fe en tu relación con Él.
- Haz un recuento y recuerda cómo Dios actuó en el pasado en favor tuyo y de muchos otros, tanto en la Biblia como en la historia.
- Mantén tus ojos en Cristo y no en las circunstancias en medio de las que te encuentres o en los sentimientos que estás experimentando.
- Comprométete con antelación a ejercitar de manera deliberada una fe arriesgada cada vez que sea necesario durante la entrega de un milagro.

Con estas acciones, pondrás a propósito tus esperanzas en el historial, el carácter y las promesas de Dios. Además, le indicas que ahora eres un candidato excelente para la entrega de un milagro.

La promesa del riesgo

Espero que estés comenzando a captar cuál es la parte indispensable que tú y yo desempeñamos en cuanto a que se produzca o no un milagro. La cantidad de nuestra fe, y las acciones que realizamos como resultado, pueden limitar o liberar la acción de Dios en una situación de milagro.

La emocionante promesa de la Llave del Riesgo es que nos capacita para entregarles los milagros del cielo con éxito y de manera continua a los necesitados. Y cada vez que ejercitamos nuestra fe, esta crecerá. Por supuesto, ninguna acción de fe arriesgada es fácil. Y esto me lleva a sugerirte la Primera Regla del Repartidor sobre la Fe Arriesgada: «Si es fácil, es probable que no esté corriendo un riesgo de fe». Gracias a Dios, a esta regla le sigue la Segunda Regla del Repartidor con respecto a la Fe Arriesgada: «Si mi riesgo de fe me causa un poco de miedo, es probable que esté en sintonía para que se produzca un milagro maravilloso».

A partir de mis años de experiencia personal, te puedo decir que la fe activa de la que he estado hablando en este capítulo transformará tu vida de una forma radical para bien... y nunca querrás volver atrás. Pablo animaba a los tesalonicenses a correr riesgos de fe al orar para que «por su poder», Dios «perfeccione toda disposición al bien y toda obra que realicen por la fe»[8].

Todo acto genuino de fe amplía tus horizontes con respecto a Dios. No pasará mucho tiempo antes que te encuentres buscando en realidad oportunidades para correr riesgos mayores por Dios, porque sabes que el tamaño del riesgo también determina el tamaño de la recompensa.

Tercera parte

CÓMO SE ENTREGA UN MILAGRO

8

Las cinco señales que guían la entrega de un milagro

Tú naciste para comprender y responder a las señales relacionadas con los milagros

Si lo piensas, verás que durante todo el día te llegan señales portadoras de una información importante y sabes lo que significan. Es más, el mensaje es tan claro y tan útil que pocas veces reflexionas en la señal:

- En una multitud, un hombre agita una mano por encima de su cabeza. («Mira. ¡Aquí estoy!»).
- Tu pequeño se echa a llorar mientras se agarra una rodilla. («¡Mami, me duele!»).
- Unas luces rojas parpadean en un cruce de ferrocarril. Una barrera desciende a lo largo de tu carril. («Haz un alto. No sigas adelante»).
- Estás en la fila para comprar entradas para un concierto cuando sientes que te tocan un brazo. («¡Oye!»).
- Le preguntas a tu adolescente: «¿Dónde andabas?». Él baja la cabeza. («¡Ay, no!»).

Puesto que hablamos en este libro acerca de cómo asociarnos con Dios para entregar sus milagros a otros, ¿no sería maravilloso que tú y yo podamos contar con la misma clase de señales inconfundibles e identificables de manera universal a fin de que nos guíen en nuestra obra para Dios?

La buena noticia es que las podemos tener. Las señales específicas de milagros nos las envían a nuestro camino con regularidad, y podemos aprender a leerlas y responderlas. Esos mensajes siempre han estado presentes. Y aunque la mayoría de nosotros los perdemos por rutina, son mensajes que los destinatarios debemos aprender a reconocer y responder para colaborar con Dios en la entrega de los milagros.

> *Las señales específicas de milagros nos las envían a nuestro camino con regularidad, y podemos aprender a leerlas y responderlas.*

En este libro identifico cinco señales relacionadas con los milagros: un *impulso*, una *pista*, una *sacudida*, una *insinuación* y un *aviso*. Tal vez ya hayas notado que las mencioné de pasada. Sin embargo, ahora llegó el momento de detenernos, definirlas y mostrarte cómo funcionan.

Es posible que el uso de unos términos tan sencillos para describir lo que quiere hacer el Espíritu en nuestro mundo sea una nueva experiencia para ti. Sin embargo, te prometo que descubrirás de inmediato que no es difícil poner a trabajar esas señales relacionadas con los milagros. Solo es posible que, hasta este momento, no le hayas puesto nombre ni hayas definido lo que está sucediendo. Descubrirás que exclamas: «¡Ya hago eso!» o «¡Claro que eso tiene sentido!».

Una vez que pongas estas señales a trabajar en tu asociación con Dios, tu proporción de éxitos como agente de lo milagroso aumentará con rapidez. Así experimentarás el gran gozo de estar vivo de verdad ante lo que Dios está haciendo en el Territorio de Milagros Diarios.

Lo lamentable es que hay una serie de ideas erróneas que son comunes en este aspecto, pero que limitan el éxito. Por ejemplo, la mayoría de la gente da por sentado que las señales que rodean un milagro deben ser demasiado misteriosas para que las descifre una persona común y corriente.

Sin embargo, eso no es cierto. Servimos a un Dios que ha hecho cosas increíbles para comunicarse con nosotros. Hasta envió a su Hijo a la tierra con un mensaje del cielo. Y, hoy en día, nos da a conocer sus caminos a través de la Biblia, por medio de su Espíritu y de otras maneras, a medida que vamos caminando en diaria dependencia de que Él nos dirigirá y nos guiará. Por supuesto, comprender lo que Dios quiere de nosotros en un momento dado no será como recibir un mensaje de texto que nos envía un amigo, ni ver nuestro nombre escrito en el cielo. Aun así, Dios tiene el propósito de conectarse con nosotros, y lo hace. Por ejemplo, a Isaías le dijo:

> *Ya sea que te desvíes a la derecha*
> *o a la izquierda, tus oídos percibirán*
> *a tus espaldas una voz que te dirá:*
> *«Este es el camino; síguelo»*[1].

Dios quiere guiarnos, dirigirnos y lo va a hacer, sobre todo cuando nos comprometemos a asociarnos con Él en las tareas que más le interesan.

Otro concepto erróneo común tiene que ver con la forma en que se comunica la gente. Muchos suponen que solo los que han recibido una seria preparación en esto son capaces de leer las señales verbales y no verbales que envían las personas acerca de lo que piensan y sienten en realidad. Sin embargo, lo cierto es que todos lo hacemos ya. Las páginas siguientes están repletas de ejemplos.

Las cinco señales te ayudarán a abrirte paso hasta el milagro del que Dios quiere que seas parte, así como durante su desarrollo. Por ejemplo, contribuirán a que

- identifiques a la persona concreta que Dios tiene en mente para tu cita de milagros,
- decidas cuál de las necesidades de la persona es esa en la que Dios quiere que te centres,

- sepas cuándo estás logrando abrir el corazón de alguien para que reciba su milagro,
- te sientas confiado en que es Dios el que te guía aun cuando te sientas inseguro,
- sepas interpretar tus propios pensamientos y emociones,
- recibas y respondas a la información concreta del milagro que te llega de Dios y de los demás.

Comencemos con una historia.

La historia de Richard y April

Era temprano por la mañana. Richard tenía que viajar en avión. No obstante, en su prisa por llegar al aeropuerto, se le quedó una de esas cosas pequeñas que son tan fáciles de olvidar: el cargador de su teléfono.

«De camino al aeropuerto, pasé por la oficina para recogerlo», me contó. «Sin embargo, aún no eran las seis y el sistema de alarma estaba activo todavía. Detuve el auto. ¿Debía tratar de desactivarlo para después volverlo a activar solo por conseguir el cable para mi teléfono? Me imaginaba que se disparaba la alarma, se despertaba todo el vecindario, llegaba la policía y perdía mi vuelo. Me di media vuelta y me dirigí al aeropuerto».

En el aeropuerto de Dallas, donde tenía que hacer conexión con otro vuelo, Richard compró otro cargador para su teléfono. Mientras esperaba el siguiente vuelo, se fue a caminar por el pasillo orando: *Señor, ¿hay aquí alguien con el que quieras que me encuentre?*

Caminando hacia la tienda donde poco antes compró el cargador, vio a la empleada que se lo vendió, parada junto a la entrada de la tienda. Ya había pasado a su lado cuando le vino un pensamiento inesperado: *Señor, esa es la joven a la que quieres que le hable, ¿no es cierto?* Ni siquiera tuvo en cuenta esa posibilidad mientras hacía su compra.

Así que Richard le dijo a Dios: *Si sigue allí parada cuando regrese,* lo cual significaba que no había clientes en la tienda, *le voy a hablar.*

«Pues cuando regresé, seguía parada allí, apoyada en el vidrio del escaparate», me contó Richard.

—Hola, soy el hombre que le compró el cargador —le dije—. Acabo de llamar a mi esposa.

—Eso está muy bien —le respondió con una sonrisa. Entonces se presentó. Le dijo que se llamaba April.

Richard titubeó. Sintió una punzada de incertidumbre acerca de lo que se sentía guiado a decir después. ¿Debía seguir adelante en fe? Se decidió.

—April, ¿me permite hacerle una pregunta? —le dijo.

—Por supuesto.

—Si pudiera desear una cosa de Dios hoy, ¿cuál sería?

De repente, a April se le llenaron de lágrimas los ojos.

—¡Mi bebé va a nacer dentro de tres meses!

Richard no comprendió, pero sintió de inmediato que Dios le decía: *Necesita que ores por ella.*

Toda llorosa, April se puso la mano en el vientre.

—El médico dice que es posible que el bebé nazca con problemas serios de salud.

—Debe estar sintiendo un gran temor. ¿Puedo decir una breve oración por usted en este mismo momento?

—¡Ah! ¿Querría hacerlo? ¡Sé que fue Dios el que lo envió!

—April, ¿conoce usted al Señor?

Cuando le dijo que sí, le explicó lo que estaba pasando.

—Quiero que sepa que mientras iba caminando por este pasillo, le preguntaba al Señor si había alguien con el que Él quería que me encontrara aquí. Es usted, ¿no es cierto?

—¡Sí, soy yo!

En medio de la gente que pasaba rodeándolos, Richard oró para pedirle a Dios que consolara a April, le concediera un buen parto e hiciera que su bebé naciera saludable. Cuando terminó de orar, ella se veía animada y tranquila. Él le dijo que, como iba a regresar a ese mismo aeropuerto al cabo de unos pocos días, le agradaría pasar por la tienda para ver cómo seguía. April le dijo que le encantaría.

—No sabe cómo se lo agradezco. Sé que Dios me lo envió hoy.

Eufórico por la forma tan clara en que lo guió Dios, Richard se dirigió a la puerta para abordar el avión. De repente, se dio cuenta cómo Dios los reunió a los dos. *Señor*, oró, *tú no quisiste que volviera a la oficina para recoger el cargador de mi teléfono, ¿verdad? Gracias por hacer que me encontrara con April.*

Aparición de las señales

Te cuento la historia de Richard, porque es un buen ejemplo de cómo se envía a una persona que presta atención a las señales que le pueden conectar con la persona que Dios quiere tocar a través de ella. Con un poco de práctica, puedes reconocer los sutiles indicios en una historia como la de Richard, que hacen que sea algo más que un inspirador relato acerca de una buena obra realizada por alguien. Sin estos puntos decisivos, no ocurriría ningún milagro.

Revisemos lo que sucedió:

- Richard, un hombre con prisa, sale de su casa en Atlanta (vaya, olvida algo). Más o menos al mismo tiempo, April, una joven embarazada llena de temores, se dirige a su trabajo en Dallas.
- Ya en Dallas, Richard se pasea por el aeropuerto, pidiéndole a Dios que lo envíe a una persona necesitada.
- El Dios del cielo, decidido a tranquilizar a April, le envía la señal a Richard: *Esa es. ¿La ves allí de pie?* En este libro, a esto lo llamamos un **impulso**.
- Antes de hacerle la pregunta, Richard se siente de repente inseguro y un poco ansioso. En este libro, a esto lo llamamos un **aviso**.
- Richard le hace a April una pregunta que abre su corazón. En este libro, a esto lo llamamos una **sacudida**.
- April le manda una señal a Richard: rompe en llanto y le cuenta su necesidad. En este libro, a esto lo llamamos una **pista**.
- Dios le señala a Richard que April necesita que ore por ella. En este libro, a esto lo llamamos una **insinuación**. La fuente de una insinuación es nuestro socio invisible, el Espíritu Santo.

- April experimenta una prueba personal de que Dios conoce y se interesa por ella y su bebé. En este libro, ¡a esto lo llamamos una entrega exitosa! (Hablaremos más acerca de esto en el próximo capítulo).
- Una vez aliviada de su desespero, April le dice a Richard: «¡Dios me lo envió!». Richard le dice que sí. Sin Dios, nada de aquello habría sucedido. En este libro, a esto lo llamamos la transferencia del crédito. (También hablaremos de esto en el próximo capítulo).

En este breve intercambio entre dos desconocidos por completo, puedes ver las cinco señales de las que hablaremos: un impulso, una pista, una sacudida, una insinuación y un aviso. En conjunto, estas señales nos ayudan a encontrar y llevar a cabo la obra milagrosa que Dios tiene en mente.

Si aún no te has dado cuenta, pronto comprenderás lo sencillas e intuitivas que son estas señales. Esa es una buena noticia para nosotros que somos personas comunes y corrientes que queremos ser parte de incidentes extraordinarios de Dios con regularidad.

Examinemos con mayor detenimiento cada una de estas señales.

_____ *Primera señal* _____
El impulso de Dios
Cómo el cielo capta tu atención y provee dirección

Un impulso es un movimiento interno que nos dirige hacia una persona, un lugar o una acción. Es una señal de Dios que, por débil que sea, hace volver de repente nuestra atención hacia algo o alguien que no pensábamos.

Dios impulsó a Richard que viera a esa empleada de la tienda bajo una luz distinta:

> *Un impulso es un movimiento interno que nos dirige hacia una persona, un lugar o una acción.*

como una cita que le tenía preparada. Los impulsos son casi siempre un solo acto que Dios quiere que hagamos pronto.

El impulso nos puede dirigir hacia una persona que tenemos dentro de nuestro campo de visión. A esto lo llamo *impulso visual*. A nuestros ojos le atraen una persona de una manera tal que sentimos como si Dios estuviera destacando su presencia y percibimos que podría haber una razón subyacente. La mayoría de nosotros sabe muy bien cómo es esta experiencia. Solo necesitamos ser conscientes de la frecuencia con que se produce.

Con mayor frecuencia experimentamos lo que llamo un *impulso no visual*, lo cual significa que la persona en la que se nos indica a pensar no se encuentra cerca de nosotros. Es posible que describieras antes esta experiencia con palabras como estas: «Sentí que Dios me dirigía hacia...» o «De repente, la tía Iris me vino a la mente».

El impulso es solo una de las maneras en que Dios le comunica sus deseos a nuestra mente. En raras ocasiones, Él usa también sueños, visiones, ángeles y otras personas. Sin embargo, la clase más común de comunicación es un pequeño pensamiento que interrumpe para captar nuestra atención: *Llama a tía Iris*.

Por supuesto, no todos los pensamientos que nos interrumpen son de Dios. En mi caso, no confundo mis ganas repentinas de comer tarta de cereza con una señal del cielo. Con todo, podemos y debemos adquirir la capacidad de discernir e interpretar este estilo único de orientación que usa Dios.

La mayoría de las veces que nos guía Dios, lo hace sin palabras. En caso de que te preguntes si hay algo en ti que anda mal, te aseguro que son pocas las personas que escuchan a Dios de manera audible. Como ya hemos advertido, Él nos da a conocer su dirección en líneas generales a través de su Palabra, su Espíritu, otras personas y nuestros pensamientos y sentimientos. Como ya has visto demostrado en este libro, para el cielo no es problema alguno comunicarse con nosotros, aun sin palabras.

Cualquiera que sea la forma en que se nos comuniquen los impulsos de Dios, tiende a tener ciertas cualidades en común.

El impulso es inesperado y fuera de contexto. Lo típico es que no estés de rodillas orando para pedirle a Dios que te impulse a hacer algo. En su lugar, es posible que venga cuando te diriges a tu trabajo en el auto o te estés cepillando los dientes: *Ve a hablarle a ese hombre,* o bien, *Para aquí.* Es inesperado y fuera de contexto. Es raro que un impulso que venga de Dios aparezca en medio de tus pensamientos acerca de una persona, un lugar o un suceso determinados, sino más bien, que interrumpa tus pensamientos acerca de algo distinto. Dios quiere que las cosas estén claras: *¡Este pensamiento no es tuyo, sino mío!*

El impulso es sutil, pero claro. Dios no habla entre dientes, pero tampoco suele gritar. Esto significa que su impulso es lo suficiente claro como para que no tengamos dudas de que recibimos el mensaje. Muchas veces desearíamos que nos llegara más completo, que tuviera más detalles. Sin embargo, donde falta información o explicación, Dios quiere que ejercitemos nuestra fe y actuemos de acuerdo con lo que hemos recibido.

El impulso es incómodo. El impulso nos invita a hacer algo que no queremos hacer. Esa es otra de las razones por las que lo descartamos con facilidad. Por lo general, racionalizamos: «Si Dios me estuviera pidiendo que hiciera algo, sentiría siempre una gran paz al respecto». No obstante, a menudo la verdad es solo lo opuesto. La obra de Dios casi siempre exige que dejemos de hacer lo que estamos haciendo, o lo que tenemos planificado hacer, y convirtamos su agenda en nuestra prioridad. Por eso anda buscando voluntarios que le digan que sí, a pesar de la incomodidad o de la molestia.

El discernimiento del impulso es una capacidad que se aprende. El impulso de Dios siempre dará fruto. Si un impulso que siga no me lleva a un resultado positivo, sabré poner mejor atención la próxima vez.

Una vez que estés seguro de que has experimentado un impulso de Dios, actúa de acuerdo a este lo más pronto posible. Entre las historias más tristes que he escuchado se encuentran las de personas que se deshicieron de impulsos de Dios, solo para descubrir más tarde que Él las dirigía hacia una cita de milagros con alguien en una situación desesperada.

_____ *Segunda señal* _____

La pista reveladora

Cómo la gente revela una necesidad que Dios
quizá quiera suplir por medio de ti

Mientras que el impulso nos llega de Dios, la pista es una señal que procede de otra persona. Se nos comunica, muchas veces sin saberlo, mediante las palabras o el lenguaje corporal de alguien. En el caso de la persona con la que te conectas para un milagro, las pistas transmitirán información importante acerca de cómo se siente, qué desea, lo abierta o cerrada que esté en lo emocional y, lo más importante de todo, las necesidades que tal vez tenga en ese momento.

> *La pista se nos comunica, muchas veces sin saberlo, mediante las palabras o el lenguaje corporal de alguien.*

La pista nos puede llegar más como un grito que un susurro. ¿Cómo Richard podría pasar por alto el hecho de que April se echara a llorar? Y no se limitó solo a romper en llanto, sino que le dijo a Richard con exactitud lo que la molestaba.

Casi siempre, no obstante, la pista es fugaz. Es fácil pasarla por alto o no prestarle atención. Tenemos que extender la mano y atraparla.

Las pistas vienen de dos maneras. Una *pista verbal* transmite un mensaje con palabras. La *pista de lenguaje corporal* transmite el mensaje mediante la postura, las expresiones faciales o gestos de la persona. En conjunto, las dos clases de pistas presentan a menudo una imagen más completa de lo que siente y piensa la persona.

Todos sabemos más de las pistas de lo que nos damos cuenta. Pensemos en las sonrisas. Una sonrisa no es solo una sonrisa, ¿verdad? Hay una clase de sonrisa que nos dice que la persona se siente feliz. Otra, digamos, una sonrisa rápida o forzada que no mira a los ojos, significa otra cosa distinta por completo. ¿Y la sonrisa de una persona que sufre? Es difícil explicarla, pero la conocemos cuando la vemos.

Sin darnos cuenta, todos enviamos pistas sin cesar. Les telegrafiamos a los demás si somos amistosos u hostiles, si les prestamos atención o si estamos distraídos, relajados o a la defensiva, junto con docenas de otras emociones. Con esa misma continuidad, las captan las personas que nos rodean. O, tal vez, no.

Piensa en las siguientes pistas y las necesidades que revelan:

- Una adolescente dice, pálida y con voz entrecortada: «¡No puedo creer que ella haya hecho eso!». Ahora se siente sacudida por dentro. Lo siguiente puede ser el sufrimiento, la ira o la traición.

- Un padre se queda mirando el piso y dice con tristeza: «No estoy seguro que mi hijo desee siquiera que venga». ¿Se siente rechazado? ¿Desanimado? ¿Fracasado?

- Una compañera de trabajo se deja caer en su asiento y exclama: «¿Por qué todas estas cosas me pasan siempre a mí?». Se siente derrotada. La vida no ha sido justa.

- Un anciano está de pie junto a una ventana. Tiene cargado un perrito como su último amigo en el mundo. «Nunca he sido el mismo desde que murió mi esposa», te dice. Sus sentimientos están a flor de piel, y sus pistas sugieren que quizá se sienta solitario, abandonado, temeroso o enojado.

Nuestra capacidad para leer y responder a las pistas, como con los impulsos, se aprende. Los vendedores, los abogados penalistas, los consejeros, los diplomáticos y los que trabajan en los servicios sociales, por mencionar solo unos pocos, se toman muy en serio la lectura de las pistas. Se esfuerzan sin cesar por mejorar su capacidad para leerlas. Una vez que tú y yo nos comprometamos a entregar los milagros de Dios, necesitaremos hacer lo mismo. Por fortuna, no precisamos una preparación especial. Tenemos la facilidad de encontrar un cursillo rápido en la Web o en la librería más cercana. O solo sentarnos en un café o en un centro comercial, y practicar observando a la gente.

En realidad, tú puedes practicar la lectura de las pistas cada vez que tengas cerca a otras personas. Enfócate en la forma en que las palabras, los movimientos y las posturas funcionan juntos para comunicar al instante un caudal de información. Prepárate de manera especial a escuchar palabras y frases que transmitan emoción:

- «Me preocupa mucho que...»
- «Quisiera que...»
- «No puedo creer que...»
- «Nunca habría debido...»

Si te mantienes practicando este arte, llegará el día en que seas capaz de leer lo que angustia el alma de una persona con una precisión sorprendente.

Sin embargo, ¿qué hacer si las señales parecen ausentes o las que recibimos son confusas? ¿Llegamos entonces a la conclusión de que la otra persona no tiene una necesidad? Puesto que sabemos que en todo tiempo y lugar todo el mundo tiene una necesidad que Dios quiere satisfacer, es lógico que estemos listos para dar un paso activo. Esto nos lleva hasta nuestro tercer recurso práctico para detectar una necesidad personal.

Tercera señal

La sacudida aclaradora
Cómo usas una pregunta para aclarar la necesidad de una persona

La sacudida es algo que le haces a la otra persona para hacer que aflore o confirme su necesidad. Por lo general, la sacudida es una pregunta. Richard hizo que saliera a flote la necesidad de April con una sacudida: «Si pudiera desear que Dios hiciera hoy algo por usted, ¿qué sería lo que le pediría?».

Como en el caso de la pista, la razón de ser de la sacudida es ayudarnos a comprender mejor la necesidad de la persona. Reunimos con delicadeza la información que necesitamos, haciéndole las preguntas adecuadas. La respuesta o reacción de la persona nos señalará cuál es la necesidad que Dios quiere que atendamos en sociedad con Él.

Con las dos primeras señales, somos receptores. Con la sacudida, somos iniciadores. Una forma fácil de pensar con respecto a las tres primeras señales es esta:

- El impulso te viene de Dios.
- La pista te viene de otra persona.
- La sacudida va desde ti hasta otra persona.

Como sucedía con los impulsos y las pistas, las sacudidas ya forman parte de nuestra vida. Sacudimos a alguien cada vez que preguntamos: «¿Cómo está?» o «¿Se encuentra bien?». La diferencia en el caso de una sacudida relacionada con un milagro es que queremos saber en realidad, porque estamos en una misión. Buscamos una información concreta que aclare nuestra comprensión de la necesidad de una persona.

> *El propósito de una sacudida es ayudarnos a comprender mejor la necesidad de una persona.*

Una sacudida no es una intromisión ni una pregunta surgida de la nada. No recibimos ningún permiso repentino para actuar de una manera inadecuada desde el punto de vista social. Por ejemplo, nadie se acercaría a una pareja que no conoce para preguntarles cómo les va en su matrimonio.

La sacudida eficaz se suele basar en la información que ya lograste recoger, ya sea por lo que has observado (pistas no verbales) o por haber escuchado con detenimiento (pistas verbales). Te encuentras en la sala de espera de un médico. Notas que una madre con tres hijos parece exhausta. Captas su atención. «Debe ser estresante esperar por el médico teniendo que cuidar varios niños», le dices comprensivo. «¿Cómo se las arregla?»

¿Podría cualquier persona considerada hacer la misma pregunta? Por supuesto. La diferencia está en la misión que estás cumpliendo. Estás buscando una oportunidad para poder entregar un milagro.

Las mejores sacudidas suelen ser las preguntas abiertas que no se pueden responder con un simple sí o no. Esto invita a la persona a darnos más información útil.

En *La oración de Jabes*, escribí acerca de mi sacudida favorita: «¿Cómo lo puedo ayudar?». Muchas veces la llamo «la sacudida de Eliseo», porque el profeta bíblico Eliseo hizo una pregunta parecida en tres ocasiones y cada vez le siguió un milagro[2].

He aquí otras sacudidas aclaradoras:

- «Si pudiera cambiar algo en su vida, ¿qué sería?»
- «¿Me querría decir uno o dos de los mayores problemas a los que se enfrenta su familia en estos días?»
- «Si le pudiera hacer a Dios una pregunta, ¿cuál sería?»
- «¿Hay algo que lo haya desanimado últimamente? ¿Qué ha sido?»
- «Si Jesús estuviera aquí con nosotros, ¿qué cree que diría acerca de esta conversación?»

Mientras más practique, más fáciles le serán estas sacudidas. Aprenderá a plantear la pregunta de una manera delicada y específica para la persona que tiene delante. Solo recuerde que debe asegurarse de que sus sacudidas sean discretas, atractivas y bien dirigidas.

Además, su propósito es sencillo. Pide que le inviten a ese lugar interior donde se completan los milagros personales: el corazón.

La lectura de señales en el desierto
Los impulsos, las pistas y las sacudidas en la Biblia

Si Dios pudo reunir desde diferentes estados a Richard y April para un milagro, ¿crees que podría reunir a dos personas de continentes distintos para un milagro, usando los mismos impulsos, pistas y sacudidas de los que acabamos de hablar... y dejar el suceso escrito en la Biblia?

Tal vez hayas leído en la Biblia el encuentro de Felipe con un funcionario africano, pero me imagino que nunca has notado cuáles fueron las señales que lo juntaron todo. Incluí aquí esta historia, insertando algunos comentarios acerca de las señales a fin de mostrarte lo que quiero decir.

El encuentro para un milagro, que se halla en Hechos 8:26-39, comienza con un impulso muy poco usual, y a partir de ese momento las cosas se vuelven cada vez más emocionantes.

El gran impulso: *Un ángel del Señor habló a Felipe, diciendo: Levántate y ve hacia el sur, por el camino que desciende de Jerusalén a Gaza, el cual es desierto. Entonces él se levantó y fue.*

Una pista: *Y sucedió que un etíope, eunuco, funcionario de Candace reina de los etíopes, el cual estaba sobre todos sus tesoros, y había venido a Jerusalén para adorar, volvía sentado en su carro...*

La gran pista: *... y leyendo al profeta Isaías.*

Solo en tres versículos, Felipe respondió ante un impulso y se marchó de la ciudad. ¿Hacia dónde? No está seguro. *Comienza a caminar hacia el desierto.* Sin embargo, de seguro que mientras va por el camino, mira con detenimiento a todos los que se le cruzan. «¿Por qué me quieres aquí, Señor?», pregunta. «¿Hay aquí alguien con quien quieres que me encuentre?» En eso, se acerca un carruaje que se destaca entre todos los demás. Sin duda, el hombre que va dentro es un VIP. *¡Ajá! ¿Y está leyendo la Biblia? ¡Esa debe ser la persona!*

Impulso: *Y el Espíritu dijo a Felipe: Acércate y júntate a ese carro.*

Sacudida: *Acudiendo Felipe, le oyó que leía al profeta Isaías, y dijo: Pero ¿entiendes lo que lees?*

Una excelente pregunta para guiar la conversación, ¿no te parece? Felipe era amistoso. No es de extrañarse que la sacudida de Felipe funcionara a la perfección. Mira lo que sucedió después.

Otra gran pista: *El dijo: ¿Y cómo podré, si alguno no me enseñare? Y rogó a Felipe que subiese y se sentara con él. El pasaje de la Escritura que leía era este*:

Como oveja a la muerte fue llevado;
Y como cordero mudo delante del que lo trasquila,
Así no abrió su boca.
En su humillación no se le hizo justicia;
Mas su generación, ¿quién la contará?
Porque fue quitada de la tierra su vida.

Y otra gran pista más: *Respondiendo el eunuco, dijo a Felipe: Te ruego que me digas: ¿de quién dice el profeta esto; de sí mismo, o de algún otro? Entonces Felipe, abriendo su boca, y comenzando desde esta escritura, le anunció el evangelio de Jesús. Y yendo por el camino, llegaron a cierta agua.*

Y otra gran pista más: *Y dijo el eunuco: Aquí hay agua; ¿qué impide que yo sea bautizado?*

Aunque, espera. ¿Te das cuenta de lo que pasa aquí en realidad? Felipe está ocupado siguiendo los impulsos de Dios y usando una sacudida. Sin embargo, la verdadera acción está entre bastidores. El Espíritu Santo obra de manera poderosa en el corazón del etíope. Lo sabemos porque sus pistas son constantes y cada vez más urgentes. Literalmente, le suplica a Felipe que lo ayude a hallar el milagro de la salvación.

Felipe solo le hace una pregunta más, para validar la sinceridad del etíope, y el encuentro llega a su punto culminante.

Sacudida: *Felipe dijo: Si crees de todo corazón, bien puedes.*

Entrega del milagro: *Y respondiendo, dijo: Creo que Jesucristo es el Hijo de Dios. Y mandó parar el carro; y descendieron ambos al agua, Felipe y el eunuco, y le bautizó.*

Espero que encontraras la historia de este milagro de una manera diferente por completo a la que tuviste en el pasado. El surgimiento de las señales nos ayudan a ser mejores estudiantes de lo que le interesa a Dios de una manera tan apasionada: entregarle su bondad y su poder salvadores a la gente.

También espero que veas que las señales que estoy describiendo solo son recursos útiles para explicar cómo se presentan los mensajes de milagros en la vida normal. También espero que veas por qué es tan importante comprenderlas y usarlas en nuestra asociación con Dios.

Ahora, te quiero mostrar la cuarta señal importante.

———————— *Cuarta señal* ———
La insinuación del Espíritu
Cómo Dios te da entendimiento durante la entrega de un milagro

Una insinuación es una señal que te envía Dios en la forma de una comprensión repentina acerca de la persona que tratas de ayudar. El propósito de la insinuación es revelarte información que no podrías conocer de otra manera, con el fin de ayudarte a entregar un milagro. Por lo general, las insinuaciones se producen mientras hablas con la persona (a diferencia de los impulsos, los cuales ocurren en la etapa inicial y te ayudan a identificar tu cita de milagro).

La insinuación tiene mucho en común con el impulso, pero las diferencias son importantes:

- El impulso es *direccional*. Dios dirige tu atención hacia una persona o un lugar a fin de que establezcan conexión con tu cita de milagros.
- La insinuación es *informativa*. Dios deja caer en tu pensamiento información valiosísima acerca de la persona o la situación que te capacita mejor para entregar el milagro.

Gracias a Dios, la insinuación no tiene nada de espeluznante ni mágica, aunque enlaza el cielo y la tierra de manera sobrenatural.

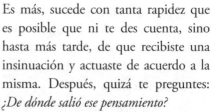

Una insinuación es una señal repentina acerca de la persona que tratas de ayudar.

Es más, sucede con tanta rapidez que es posible que ni te des cuenta, sino hasta más tarde, de que recibiste una insinuación y actuaste de acuerdo a la misma. Después, quizá te preguntes: *¿De dónde salió ese pensamiento?*

Hay otras ocasiones en que la insinuación es más desafiante. Quizá no tenga sentido de inmediato o es posible que transmita algo que puede empujarte para que salgas de tu zona de comodidad:

- *¿Por qué debería preguntar acerca de su abuelo cuando hablamos de su matrimonio?*
- *¿Por qué debería decirle que haga su cama?* (¿Recuerdas a Jimmy, en el primer capítulo?).

En situaciones de este tipo, es posible que sientas vacilación, incomodidad o hasta temor. ¿Por qué? Porque te desafían a confiar en la información que recibes. Ese reto exige que des un paso en fe para demostrar que confías en la dirección y las intenciones del Espíritu.

Por eso el temor en este momento raras veces es, si lo llega a ser alguna vez, una señal para que des marcha atrás. La verdadera razón de ser de ese temor es alertarte para que sepas que necesitarás correr un riesgo en fe. (En la quinta señal veremos la sorprendente utilidad que tienen estos avisos).

Acabo de mencionar a Jimmy del primer capítulo. Como recordarás, le hablaba a Nick, un hombre que deseaba con desesperación salvar su matrimonio. Cuando Nick le preguntó a Jimmy qué debía hacer, Jimmy se sintió nervioso. Por eso le dijo a Nick que buscara papel y lápiz. Estaba dando tiempo, porque no sabía qué decirle. Y entonces, Dios puso la insinuación en su mente: *Dile a Nick que tiene que irse a su casa para hacer la cama.*

Así que, el asunto es este: aunque Jimmy estaba renuente a decir algo que no pudiera defender, siguió adelante, y Dios se les manifestó a ambos hombres, al hacerse evidente la actuación de su milagrosa mano. Nick exclamó: «¿Y usted cómo lo supo?». Debido a que Jimmy confió en Dios lo suficiente para decir lo que dijo, Nick supo que

Dios estaba interviniendo y que se interesaba en su persona y en su matrimonio.

La siguiente historia es otro ejemplo útil, porque se ve con claridad que se inició con un impulso y después hubo una insinuación que sugirió cuál era la necesidad. He aquí lo que sucedió.

Una mañana, Toni le pidió a Dios que la enviara ese día a hacer su obra. Una hora más tarde se dio cuenta de algo que de ordinario le habría pasado inadvertido. Estaba en una reunión, cuando una mujer a la que no conocía hizo de pasada un comentario acerca del desafío que constituyen los hijos varones. En su observación había algo que alertó a Toni sobre la existencia de algún dolor escondido.

«No creo que ningún otro de los que estaban en esa sala notara algo», recuerda. Cuando Toni le pidió a Dios que le mostrara cómo podría ayudar a la señora, sintió un claro impulso. Le llegó bajo la forma de una indicación: *Escríbele una nota.*

Toni no tenía mucho más que decir. Sin embargo, sacó un bloque de papel y un bolígrafo.

Estimada Sonya, su hijo está en...

¿Qué iba a decir? No lo sabía.

Entonces, Dios se lo insinuó. Una imagen vino a la mente de Toni.

... una lucha cuerpo a cuerpo con Dios. Está luchando fuerte, pero no pasará mucho tiempo antes que quede cojo. Dios lo va a tener bien agarrado hasta que se rinda por entero. El amor de Dios es lo que ganará.

Cuando terminó de escribir, dobló la nota, escribió el nombre de Sonya y la entregó para que se la hicieran pasar. Notó que cuando Sonya abrió la nota, comenzó a llorar en silencio. Toni pensó: *¡No! Tal vez me equivoqué por completo.*

Sin embargo, en cuanto terminó la reunión, Sonya se le acercó con una pregunta:

—¿Cómo lo supo?

—¿Cómo supe qué?

—Mi hijo es un luchador. Le encantan las luchas —le dijo todavía llorosa.

Entonces, le contó el resto de la historia.

—Usted tiene razón. En los últimos tiempos, ha estado luchando con Dios. Es más, en solo una hora comparecerá ante un juez por una acusación de agresión. Ni mi esposo ni yo podremos estar allí para ayudarlo, así que le hemos estado pidiendo a Dios que sea su abogado en esa sala de tribunal.

Las dos mujeres decidieron ir a almorzar. Entonces, en cuanto llegaron sus bocadillos, Sonya recibió una llamada de su hijo. El tribunal desestimó la acusación. «Sé que Dios me estaba protegiendo», le dijo a su madre. «Estoy recibiendo una oportunidad para comenzar de nuevo... y eso es lo que voy a hacer».

¿Verdad que es tranquilizador saber que Dios *quiere* comunicarse con nosotros cuando le servimos? A medida que tus sentidos espirituales despiertan a lo que te muestra Dios, puedes descansar en el hecho de que Él te guiará a la experiencia más significativa de tu vida hasta el momento. Cada vez más, experimentarás una paz espiritual que te confirmará que vas por el buen camino.

He aquí otra cosa para considerar: durante el proceso de entrega del milagro, es frecuente que coexistan la paz interior y la ansiedad superficial. Es posible que te sientas ansioso con respecto a una insinuación, pero que sigas sintiendo paz y seguridad al saber que el Espíritu de Dios es el que obra por medio de ti.

Y recuerda, la insinuación es para ayudarte a entregar el milagro. No es una revelación acerca del futuro ni un mensaje para otra persona. (Por ejemplo, no dirás: «Dios me indicó que le dijera...»). Más bien, una insinuación es una perspectiva o información que te da Dios para que actúes en el momento a fin de que logres completar tu tarea de milagro con excelencia.

Quinta señal
El aviso de temor
Cómo nos damos la señal cuando avanzamos en fe

Un aviso de temor es una señal que recibes de ti mismo. Durante una entrega, el aviso es un confiable indicador de tus emociones de que debes ejercitar tu fe y *superar* tus sentimientos hacia el milagro.

Hablemos primero acerca del temor en sí. El temor es como la luz de advertencia que se enciende en el salpicadero de tu auto; te dice: «¡Presta atención!». Nosotros experimentamos esta normal emoción humana en diversos grados muchas veces al día, como cuando tratamos de conducir en la hora punta, cuando el jefe nos llama de repente a su oficina, cuando nos damos cuenta de que olvidamos pagar una factura importante y quizá nos cortaran la electricidad cuando lleguemos a casa.

> *Un aviso de temor es indicador confiable de que debes ejercitar tu fe.*

Los avisos de temor se presentan durante el proceso de entrega de un milagro, porque ya no estás dentro de tu zona de comodidad. Corres un riesgo en fe. Puesto que es muy raro que se produzcan los milagros dentro de la zona de comodidad de un «repartidor», un aviso de temor se halla en realidad lleno de promesas y funciona como una clase muy distinta de luz de advertencia: «¡Presta atención! ¡Ejercita tu fe! ¡Tienes un milagro delante!».

Por supuesto, si expresaras con palabras un aviso de temor a ti mismo, es posible que se pareciera a esto:

- «¿Quién, yo? ¡Imposible que yo sea la persona adecuada para hacer la entrega de este milagro!»
- «¿Hacer qué? ¡Tengo todas las de perder en algo así!»
- «¿Qué van a pensar? ¡Se burlarán de mí y me rechazarán si digo eso!»

Una vez identificado lo que sucede, podemos reaccionar... y lo que hagamos a continuación es lo que decide todo. Por supuesto, la mente y el cuerpo del ser humano usan las señales de temor para mantenernos apartados de los peligros. No obstante, en nuestra labor de asociarnos con Dios para un milagro, esos mismos avisos se pueden convertir en algo distinto: *confirmaciones* de que vamos por el buen camino (hacia un milagro) e *invitaciones* a vencer el temor con la fe.

Esta clase de confianza activa en el Espíritu de Dios es el fundamento de un estilo de vida lleno de milagros previsibles, pues activa nuestra asociación y le da lugar a Dios para hacer lo que solo Él puede hacer: el milagro. En lugar de reaccionar ante el temor de la manera normal, huir o posponer la acción, tú interpretas a propósito el aviso como una valiosa señal de que llegó el momento de que ejercites tu fe y termines esa misma acción que temes realizar.

Dale un segundo vistazo a la historia que da inicio al segundo capítulo. Me encontraba en medio de un discurso dirigido a ochenta hombres en una conferencia cuando recibí un impulso muy claro y concreto. Dios quería que le preguntara a un hombre que estaba sentado junto al pasillo en la cuarta fila, qué podía hacer por él. Hice una pausa, me le acerqué por el pasillo y le pregunté: «Señor, siento que en su vida está pasando algo fuera de lo común. ¿Hay algo que pueda hacer por usted?».

Por lo general, ¡no suelo comportarme de esa manera cuando me dirijo a un público! Con cada paso por aquel pasillo, me sentía incómodo, extraño y hasta un poco tonto. La respuesta de aquel hombre no me ayudó. Me dijo con toda firmeza que estaba muy bien y me dio las gracias.

Volví a caminar hasta la plataforma, sintiéndome más incómodo, extraño y tonto aun. Sin embargo, apenas retomé mis comentarios donde los había dejado, Dios me impulsó de nuevo y de una manera incluso más drástica.

¡Esta vez sí que se encendió en mi corazón el aviso del temor y la incomodidad! ¿Qué hacía Dios? ¿Acaso no intenté eso una vez sin tener éxito? Los hombres que estaban en el público vinieron en avión desde toda la nación para oírme hablar sobre un tema determinado.

¿Qué iban a pensar si volvía a actuar como un tonto y desperdiciaba su tiempo más aun?

Sentí avisos de temor por todas partes. Aun así, para los enviados dispuestos a hacer lo que Dios quiere que se haga, un aviso de temor no es una señal para volver las espaldas, sino una señal para dar un paso al frente. Decidí dejar de hablar y volver a caminar por aquel pasillo, confiado en que Dios haría un milagro, para hacerle a aquel hombre la misma pregunta por segunda vez. El resultado fue un inmenso milagro que alteró de manera radical el fin de semana para todos los oyentes y nos mostró a todos de una manera inolvidable las maravillas del amor y el poder de Dios.

Más que cualquier otra señal, una interpretación indebida del aviso de temor puede convertirse en un cortocircuito para el proceso de un milagro. El temor y la incomodidad solo son emociones negativas. No debemos esperar hasta la desaparición de esos sentimientos, sino más bien actuar en fe, a pesar de ellos. No tenemos que obedecer ciegamente lo que nos empujan a hacer. Lo que debemos hacer es mirar más allá de nuestros sentimientos y avanzar hacia el milagro que espera producirse.

He identificado los momentos de la entrega de un milagro en los que es más frecuente que se prenda la luz de advertencia de nuestro aviso de miedo. Para un análisis útil sobre esto, junto con un cuadro de resumen de las cinco señales, visita www.YouWereBornForThis.com (en inglés).

«Ahora puedo comprender y usar las señales relacionadas con los milagros»

La primera vez que le presento estas sencillas verdades acerca de las señales específicas de los milagros a un auditorio, observo dos pistas previsibles.

Una es la de los que asienten con la cabeza. Ese es el lenguaje corporal para «¡Claro que sí! Usted tiene razón. *Así es* que funcionan las cosas».

La otra, que se produce más adelante en la sesión, es la de los que comienzan a fijar pensativos la vista en el espacio, algunas veces con los ojos cerrados. O bien, inclinan la cabeza también pensativos.

Por lo que les he oído decir después, sé también lo que significa esa pista. Es el lenguaje corporal para «¡Señor, me debo haber perdido centenares de oportunidades para los milagros que me has estado enviando de manera constante, deliberada y amorosa... pero que no he sabido reconocer, ni he reaccionado ante las señales!».

¿Cuál es la pista que me envías ahora mismo?

Si sientes pesar por lo que es posible que te hayas perdido, quiero que recuerdes algo: ahora que sabes cómo funcionan estas señales, tu vida puede comenzar a cambiar hoy mismo. La lectura de las señales que nos vienen de Dios, de los demás y de nosotros mismos, en su relación con un milagro personal, es una habilidad natural que se puede utilizar de inmediato.

Espero que hayas visto la promesa que implica el poder reconocer, recibir y enviar mensajes relacionados con los milagros. Tú naciste para esto. Dios te creó para que te asociaras con Él en un proceso que produce milagros memorables como resultado.

Las consecuencias de que aprendas a leer las señales relacionadas con los milagros serán el asombro, la gratitud y la gloria para Dios. El libro de los Hechos dice que después de separarse Felipe y el etíope, este funcionario «siguió gozoso su camino»[3].

Tú lo harás también.

9

Los cinco pasos que conducen a la entrega de un milagro

Tú naciste para conocer y seguir los pasos relacionados con la entrega de los milagros

Al principio de este libro, te propuse que Dios decide asociarse con gente común y corriente para su agenda sobrenatural. Para el desempeño de un papel tan extraordinario, dije, no se requiere experiencia previa. Tampoco hacen falta títulos, talentos o calificaciones especiales.

Sin embargo, para que eso sea cierto, ¿acaso no tendría que haber habilidades que podamos aprender y un enfoque que nos lleve al éxito, no una sola vez, sino con regularidad, en nuestra nueva vida dentro del Territorio de Milagros Diarios? Por supuesto, la parte del cielo en la entrega de milagros todavía está llena de misterio, tal como esperarías, pero nuestra parte tendría que ser muy práctica.

Gracias a Dios, existe una manera sencilla y evidente de enfocar la entrega de milagros. Es más, estas ideas las puede comprender un niño de diez años. ¿Y por qué no habrían de ser así las cosas si la entrega de milagros personales es parte de la agenda de Dios para cada uno de nosotros? ¿De qué otra manera podríamos explicar el hecho de que Dios ha estado usando gente durante siglos para la entrega de milagros personales?

El proceso que te quiero enseñar comienza con las cinco partes de cada milagro personal. Estas partes están presentes aun si no podemos verlas. Si volvieras a consultar las historias que has encontrado hasta ahora a fin de identificar los elementos que siempre aparecen, creo que saldría a relucir una lista similar.

Para que ocurra un milagro personal, debemos tener
- una persona (la que recibe el milagro),
- una necesidad (el propósito para cualquier milagro personal),
- un corazón abierto (el lugar donde se completa el milagro personal),
- un repartidor (el medio para llevar el milagro hasta donde se necesita),
- Dios (la Persona que *hace* el milagro y recibe el crédito).

Como repartidores motivados, podemos obtener de estos elementos básicos de un milagro una descripción del trabajo en muy poco tiempo. Por ejemplo, las cinco partes sugieren una serie de pasos que podemos dar para asociarnos de una manera exitosa con Dios. Estos pasos son universales, se pueden aprender, son repetibles y están alineados con la manera en que el cielo obra en realidad en una situación de milagro. Les llamo los «Cinco pasos para la entrega de milagros personales»:

1. Identifica a la persona.
2. Aísla la necesidad.
3. Abre el corazón.
4. Entrega el milagro.
5. Transfiere el crédito.

Cuando ponemos estos elementos en el orden en el que se desarrollan la mayoría de los milagros, tenemos un conjunto de medidas de acción que podemos aprender y utilizar. Para los milagros que analizamos en este capítulo, a veces parece que se omite un paso o que el orden de los pasos se desarrolla de manera diferente. Con todo, creo que las razones para esto serán claras para ti a medida que los analicemos juntos. Con lo que puedes contar es que los cinco pasos desempeñan un papel importante en cada milagro personal.

En la próxima sección del libro, la cual trata de tres milagros de entrega especial, la secuencia de estos pasos se vuelve más importante aun. Cuando se incorporan en orden, nos ayudan a guiar una conversación hacia un resultado que será un milagro conocido y concreto.

No pienses en estos pasos como una fórmula rígida, sino como un marco básico. Mi meta es ser de ayuda sin disminuir en ningún sentido la grandeza y el liderazgo de Dios en el proceso.

Verás que el esquema de los cinco pasos agrupa todas las grandes ideas que has aprendido hasta el momento: ahora eres *una persona enviada* (la Llave Maestra) que *muestra el corazón de Dios por la gente* (la Llave de la Gente) y que *se asocia a propósito con el Espíritu* para hacer la obra de Dios (la Llave del Espíritu) mediante *actos de dependencia de Él* (la Llave del Riesgo) en la entrega de su milagro a otros.

Mi intención es describir lo que he aprendido a través del estudio de la Biblia, de una amplia investigación y de mi experiencia personal por muchos años, de modo que puedas entregar milagros para Dios en un número cada vez mayor durante tu vida.

Primer paso
Identifica a la persona

Si Dios va a suplirle una necesidad específica a otra persona por medio de nosotros, necesitamos encontrar a esa persona y conectarnos con ella. Ese es el primer paso. Para decirlo en función de un repartidor, comenzamos preguntando: «¿Adónde llevo este paquete? ¿Para quién es?».

Una de las mejores formas de encontrar nuestra respuesta está en responder a los impulsos que nos envía Dios. Un impulso nos dirige a esa persona especial con la cual tendremos nuestra cita.

En el caso de Owen, recibí un impulso muy concreto, no una vez, sino dos. Según mi experiencia, Dios casi nunca vuelve a repetir un

Para decirlo en función de un repartidor, comenzamos preguntando: «¿Adónde llevo este paquete? ¿Para quién es?».

impulso si lo pasamos por alto a sabiendas. En cambio, si necesitamos de verdad que Él nos oriente mejor, es posible que nos impulse de nuevo.

El hecho de que un impulso parezca hallarse fuera de contexto, o que nos sorprenda, nos ayuda a identificar con seguridad a nuestra persona:

- *Dale cien dólares al camarero.* (Mi encuentro con Jack).
- *Muéstrale a Marta mi corazón por ella.* (La historia de Lauren y Marta).
- *Mira. La mujer de la tienda de teléfonos.* (La historia de Richard y April).

Como demuestran las historias en este libro, Dios nos guía de diferentes formas hacia nuestra cita. A esta altura, sin embargo, un proceso que quizá le parezca vago a una persona que no comprenda las misiones de milagros no te debería parecer vago a ti. Ya ves el mundo de una manera muy distinta a como lo solías ver. Donde antes veías un camarero, un compañero de trabajo o un vecino, ahora ves personas con necesidades... unas necesidades que muchas veces solo conoce Dios, necesidades que quizá Él quiera satisfacer hoy por medio de ti.

Algunas veces, daremos por seguro que un encuentro tiene que ver con algo, solo para darnos cuenta de repente: *¡Ah, Dios tiene en mente otra cosa!* En ocasiones, la persona nos viene al encuentro y declara literalmente que necesita un milagro con urgencia. Recuerda a Jimmy, en el primer capítulo. Su primera pista de que Nick podría ser una cita de milagros le vino cuando Nick comenzó a hablar acerca de los problemas por los que pasaba en su matrimonio.

Siempre animo a las personas que acaban de comenzar con la entrega de milagros del cielo a que no se preocupen en todas sus conversaciones, pensando siempre: *¿Será esta la persona?* Tú no conciertas una cita de milagros; Dios te la trae mediante su impulso, haciendo que veas sus pistas o indicándote que tomes la iniciativa a través de una sacudida.

En especial, durante tus primeros tiempos como «repartidor», Dios hará que sea obvia tu cita. Tu labor será solo crecer en tu nuevo papel como embajador del cielo y mantenerte alerta ante la agenda del cielo para tu día.

Mientras tanto, comprende que no estarás haciendo nada que no sea socialmente aceptable si te acercas a una persona y tratas de comenzar una conversación. En caso de duda, continúa... todo tu riesgo es ser amable.

—— *Segundo paso* ——
Aísla la necesidad

De todas las posibles necesidades que identificaras de la persona (y todos tenemos muchas necesidades), ahora necesitas aislar *la necesidad concreta* que Dios quiere satisfacer por medio de ti en este momento. Recuerda que Dios no nos pide a ti ni a mí que satisfagamos todas las necesidades, ni siquiera que atendamos por obligación la mayor necesidad de una persona. Buscamos cuál es la necesidad principal en la agenda de Dios para nosotros y para la persona que identificamos.

Por supuesto, algunas veces no puedes pasar por alto la necesidad. Sin embargo, es más frecuente que haga falta un poco de labor detectivesca para descubrir la necesidad urgente que Dios quiere satisfacer. Como analizamos en el capítulo anterior, una gran cantidad de información acerca de las necesidades se nos indica mediante el tono de voz, la postura corporal, las circunstancias, la expresión de la emoción y las palabras. Esto lo describimos como estar pendientes de las pistas: mensajes verbales y no verbales que manifiestan o sugieren lo que sucede en el interior de la persona.

> *Buscamos cuál es la necesidad principal en la agenda de Dios para nosotros y para la persona que identificamos.*

Las sacudidas también ayudan a que aflore la necesidad o a que confirmen que la necesidad que identificaste es la adecuada. Aquí es donde puede ser eficaz una pregunta que sacuda a la otra persona como: «¿En qué le puedo ayudar?». Corres un riesgo al ponerte a disposición de la otra persona, dependiendo de Dios para que obre en ella de modo que revele la necesidad que Él quiere satisfacer por medio de ti. Las mejores sacudidas lo llevan a uno más allá de la simple charla, la adopción de posturas y las conversaciones superficiales para enfocarnos de manera directa en la necesidad.

En mi interacción con Owen, después de recibir dos fuertes impulsos, vi con claridad que era la persona indicada. Sin embargo, lograr que Owen se sincerara con respecto a su necesidad fue desafiante, por no decir otra cosa peor. Lo tuve que sacudir de una manera personal y directa, pero abierta: «Siento que hay algo que lo está atribulando de manera profunda». No fue hasta que corrí el riesgo de una segunda sacudida que la historia de Owen, incluyendo su necesidad, viniera afuera. Ahora comprendía su crisis y tenía la información que me ayudaba a guiarlo hacia el milagro que quería Dios.

Por supuesto, Dios puede obrar por medio de nosotros cuando hay pocos datos específicos, o ninguno, acerca de la necesidad. Es probable que tú ya hayas pasado por esto. Hiciste algo en favor de otra persona, sin darte cuenta de que Dios te involucraba en su acción y, cuando lo hiciste, el destinatario te dijo: «No puedo creer que hiciera esto. ¡Es eso mismo lo que le he estado pidiendo a Dios!».

Ahora bien, lo que Dios *puede* hacer no cambia nuestra responsabilidad en este paso: sacar a la superficie la necesidad que Él quiere satisfacer. Nuestro papel es buscar la necesidad con paciencia y sensibilidad. De repente, una mayor información puede mostrarte lo que quiere hacer Dios o el porqué te escogió para el encuentro. Sigues confiando en la dirección de Dios, pero ahora te puedes asociar con Él de una forma más completa a fin de satisfacer la necesidad en cuestión.

He notado que cuando tengo presente la necesidad adecuada, experimento una sensación de paz. Aun así, muchas veces confirmo que tengo la necesidad exacta al preguntarle a la otra persona: «¿Esta necesidad es el asunto que le molesta más en estos momentos?». Si resulta que otra necesidad es la real, no dudo en cambiar el enfoque.

He aquí un recordatorio práctico: si en una conversación surge una apremiante necesidad que *podemos* suplir con nuestros propios recursos, debemos responder. Nunca es bueno que preguntemos cómo podemos ayudar si no tenemos la intención de hacerlo a menos que Dios haga un milagro. Santiago nos advierte que no caigamos en esta clase de condescendiente desapego espiritual:

> *Y si un hermano o una hermana están desnudos, y tienen*
> *necesidad del mantenimiento de cada día, y alguno de vosotros*
> *les dice: Id en paz, calentaos y saciaos, pero no les dais las cosas*
> *que son necesarias para el cuerpo, ¿de qué aprovecha?* [1]

Ahora ya estás preparado para el tercer paso de la entrega, el cual va hacia donde se completa un milagro personal: el corazón.

Tercer paso

Abre el corazón

Cuando se trata de milagros personales, la acción está en el corazón. Observa con cuánta frecuencia Jesús fue más allá de una petición superficial hacia la necesidad humana más profunda... de relación, perdón, razón de existir, salvación. Sí, a menudo un milagro involucra algún tipo de provisión material. Así que, a toda costa se alimenta al hambriento y se viste al desnudo, pero los «repartidores» de milagros no se detienen allí. Queremos asociarnos con Dios para entrar a su corazón. Solo cuando una provisión cambia la forma en que el beneficiario ve y responde a Dios es que se completa el milagro personal.

Como era de esperar, nuestro papel en la preparación del corazón de otro para recibir lo que Dios quiere hacer es una parte crítica del proceso de entrega. Queremos que la persona nos permita entrar, que nos muestre

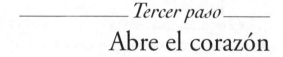

Cuando se trata de milagros personales, la acción está en el corazón.

lo que le importa en realidad y, en algunos casos, que reconozca con nosotros que la necesidad es real.

¿Te acuerdas en el segundo capítulo lo cerrado que tenía Owen el corazón? En mi relato de lo sucedido, no di detalles de todas mis respuestas. Sin embargo, mientras Owen presentaba sus razones para dejar el ministerio, me mantenía muy atento en realidad:

- Para mostrarle que me identificaba con su dolor, asentía despacio con la cabeza y le decía con suavidad: «Entiendo».
- Para informarle que le escuchaba de manera activa, que me preocupaba de verdad, le respondía con un «Ajá», la palabra universal para «¡Estoy con usted!».
- Para mostrarle que lo aceptaba como persona, mantenía mi cuerpo en una postura franca y relajada, sin rigidez ni crítica. Inclinaba la cabeza hacia un lado para indicarle que estaba concentrado en una comprensión genuina.

En otras palabras, era sincero y deliberado a la vez. Es más, si ya no hubiera identificado a Owen como una cita de milagros ni me hubiera propuesto sacar lo que llevaba en el corazón, las cosas habrían podido suceder de una manera muy distinta. Por ejemplo, tal vez me hubiera limitado a recomendarle que reconsiderara su plan de abandonar el ministerio o quizá les hubiera pedido a los otros hombres que lo recordaran en sus oraciones... ambas respuestas serían amables y cristianas, en eso estarás de acuerdo, pero poco útiles para abrirle el corazón. Además, sin su corazón abierto, tal vez se frustrara un milagro en gestación.

Observa que no trataba de cambiar la manera de pensar de Owen acerca de nada. Solo hacía mi parte y creía que el Espíritu hacía la suya a fin de preparar el corazón de Owen para el milagro que ahora estaba convencido que Dios me había llevado para entregar allí.

La apertura de un corazón puede suceder de manera natural, casi sin esfuerzo. Como vimos en varias historias, algunas veces las personas le abren a uno el corazón de par en par en cuanto se logra aislar su necesidad. Esto sucede sobre todo cuando la persona sufre muchísimo y sus emociones están a flor de piel. Creo que antes que mi amigo Richard terminara siquiera con su sacudida («Si pudiera desear una cosa de Dios hoy...»), las emociones de April ya estaban saliendo solas a la superficie.

Ahora bien, si un corazón parece cerrado, ¿cómo lo abres? Sabemos que no lo podemos abrir por la fuerza. Un corazón tiende a responder mejor a las invitaciones amables y sinceras del corazón de otro. He aquí algunas sugerencias sobre cómo hablar el poderoso lenguaje universal del corazón (algunas ya las mostré en mi conversación con Owen):

- *Mantén el contacto visual.* Los ojos son en verdad las ventanas del alma.

- *Suaviza y baja el tono de tu voz.* Hablamos sobre nuestros sentimientos a un ritmo más lento, con un tono más profundo y un volumen más bajo de los que usamos para debatir ideas, comentar noticias o contar chistes.

- *Ve más despacio y practica la pausa.* De esta manera, invitarás a la otra persona a que lleve el peso de la conversación. Le expresas: «Lo que dice es muy importante».

- *Suaviza tu postura.* Nuestro cuerpo dice mucho sin palabras. Por eso, asegúrate de que tu postura y tus gestos transmitan franqueza y seguridad. A decir verdad, quieres que la otra persona te invite a su lugar más protegido: su corazón.

- *Promueve una mayor expresión del corazón.* La cabeza inclinada hacia un lado indica que estás de ánimo para escuchar. Un «¡Ajá!» expresado en voz muy baja muestra que le prestas atención de verdad y que te interesas. Las señales afirmativas con la cabeza indican que comprendes y que estás interesado. Cuando es pertinente una respuesta verbal, usa una delicada sacudida: «¿Y eso cómo le hace sentir?» o «¿Qué le dice su corazón en un momento como este?». Incluso, puedes usar una pregunta directa: «¿Qué sucede en su corazón ahora mismo?».

- *Practica la empatía.* La empatía consiste en ponerte en los zapatos de la otra persona. En el capítulo sobre la Llave Maestra, te hablé acerca de mi encuentro en la carretera con un hombre en necesidad que sufrió abusos verbales de los transeúntes durante horas. Practicaba la empatía cuando le dije: «Pasar horas en esas condiciones debe haber sido muy doloroso. Si me lo permite, quisiera pedirle perdón por todas las faltas de respeto que tuvo con usted toda esa gente». Esa expresión de comprensión genuina abrió por completo su corazón para el milagro que le siguió.

Ya sabes mucho de lo que te acabo de decir, ¿no es cierto? Has practicado el lenguaje del corazón desde que abriste los ojos por la mañana. Por ejemplo, ya pudiste leer pistas con respecto del corazón abierto de una persona. Captaste si esa persona presta especial atención o está distraída, si es vulnerable o está a la defensiva. El lenguaje corporal señala tus estados de ánimo y propósitos. Si la persona quiere hablar, y tú le prestas atención, no tienes que pensar en cómo se envían los mensajes, solo lo sabes.

Como «repartidor» de Dios, solo tienes que actuar de forma más deliberada en algo que ya es un segundo lenguaje para ti.

Cuarto paso
Entrega el milagro

En este paso del proceso, nos asociamos de manera activa con el Espíritu para entregar el milagro de Dios. Nuestro papel es facilitar e invitar, en respuesta a la dirección del Espíritu. Por eso digo que aun cuando el milagro en sí es obra de Dios, el paso de entregarlo es nuestra responsabilidad.

Aun cuando el milagro en sí es obra de Dios, el paso de entregarlo es nuestra responsabilidad.

Hasta ahora en el proceso de entrega, nuestro papel ha sido como el de Juan el Bautista: prepararle el camino al Señor. A través de las circunstancias y las señales concretas del milagro, el Espíritu nos conduce hacia la persona y a la necesidad que Dios tiene en mente. Además, hicimos nuestra parte a fin de abrir el corazón de la persona.

Ahora le toca actuar a Dios. Por fortuna, Él desea entregar milagros por medio de nosotros, más aun de lo que deseamos entregarlos. Eso significa que podemos relajarnos. No tenemos que tratar de comprender con exactitud cómo obra nuestro socio invisible. Solo tenemos que confiar en que Él *obrará* y que nosotros tenemos un papel necesario en el hecho. En este paso del proceso, Dios nos guía muchas veces a hacer o decir algo importante durante la entrega del milagro, que de otra forma a nosotros no se nos habría podido ocurrir.

Así que aquí estás tú, el «repartidor» de Dios, parado ante la puerta de la vida de una persona. El corazón está abierto. ¿Qué viene después?

He aquí una secuencia que encuentro útil:

Aparta tus pensamientos de ti mismo y pon tu fe de manera consciente y directa en la dirección del Espíritu de Dios. Mantén el contacto visual con la persona y enfócate por completo. Lo que hace falta que suceda después, dependerá de la clase de milagro que es pertinente. ¿Qué quiere Dios que suceda? ¿Necesita la persona:

- recibir algo?
- soltar algo?
- tomar una decisión voluntaria?
- experimentar un progreso en su comprensión de alguna cuestión importante de su vida?

Busca cuáles son los obstáculos emocionales o las creencias limitadoras. Observa el punto débil (el aumento de la temperatura emocional) que indica una necesidad o una lesión. Muchas veces, todo lo que hace falta es que hagas la pregunta adecuada para que aparezca de repente ese punto débil.

Háblale al corazón. Dios te guiará para que digas lo apropiado, así que no tienes que volverte demasiado cauteloso ni comenzar a cuestionarte a posteriori. Jesús les dijo a sus discípulos que no se inquietaran antes de tiempo en cuanto a qué decir en una situación difícil cuando le pidieran que hablaran en su nombre: «Porque el Espíritu Santo os enseñará en la misma hora lo que debáis decir»[2].

Tal vez descubras que citas un versículo bíblico que ni siquiera sabías que habías memorizado o sugieres una solución que ni te había pasado por la mente un segundo antes. Muchas veces ni siquiera te darás cuenta de lo que dijiste ni por qué te importaba, sino hasta más tarde. En ciertas ocasiones, no lo notarás, pero la otra persona sí: «¡Creo que Dios debe haberte enviado!».

Dale tiempo a Dios para actuar. Sabrás cuándo esto es una buena idea, ¡porque en ese momento no vas a saber qué otra cosa hacer! Debes quitarte de en medio. Dios comenzará a obrar en el corazón de una manera u otra. Ve más despacio de manera deliberada. Deja de hablar. Haz más pausas. Depende a sabiendas del Espíritu y ora en silencio.

Recuerdo que hice justo eso mientras hablaba con Owen esa noche. Era obvio que iba a hacer falta un milagro para liberarlo. Muy consciente de mi ineptitud, puse a funcionar todas mis antenas espirituales para recibir la dirección de Dios. Lo que presentí que Él me dirigía a hacer era que fuera muy sincero y que no me preocupara por ningún otro en el salón. Con cuidado, fui llevando a Owen a darse cuenta por sí mismo de la verdad: *Si es evidente que Dios me llamó al ministerio, está claro que Él me llamará a salir de él.*

Ten presente que Dios podría haber estado llamando a Owen para que renunciara, y Él pudo haberme llevado a ese salón para que lo ayudara a hacerlo. No lo sabía. Mi meta era ayudarlo a encontrar un terreno sólido, y después dejar que Dios nos mostrara qué hacer desde allí.

Cuando desafié a Owen acerca del proceso de su decisión, podría decir que el Espíritu estaba obrando en su corazón. Pienso que todos los que estaban allí esa noche lo pudieron notar. Se veía en su postura, en sus pausas y en su rostro. Además, fue claro por igual el momento de la entrega del milagro. Cuando Owen proclamó: «No voy a renunciar», todos los que estaban en el salón sabían con seguridad que Dios había hecho una poderosa obra en su corazón.

En ese momento, el lenguaje de su corazón reveló una nueva verdad: Ya no estaba batallando. No estaba enojado ni desesperado. Cayó en los brazos de Dios en total y apacible sometimiento. Todos podíamos ver la libertad y el alivio escritos en su rostro.

Quiero añadir algunos otros pensamientos aquí acerca del papel de la oración en la entrega de un milagro. Tal vez notaras que muchas de las historias revelan que el «repartidor» oró de manera activa:

- Richard oró con April por la salud de su bebé.
- John oró con Terrence en la prisión, pidiéndole a Dios que lo reuniera con su hija.
- Jessica les pidió a sus amistades que oraran con urgencia por Leila que, sin que lo supieran ni Jessica ni sus amistades, estaba en ese momento tratando de quitarse la vida.

En cada caso, la oración llegó a ser estratégica para la entrega del milagro. Sin embargo, ninguno de esos hechos se desarrolló de la misma forma: April recibió el consuelo y el aliento de Dios de un extraño en medio de un aeropuerto. Terrence recibió una respuesta a su oración en la forma de la visita de su hija, semana y media después que John lo guiara en oración. (Aun así, ¿le hizo entrega John de un milagro personal? ¡Por supuesto!). Y Jessica no estaba presente con su amiga Leila cuando Dios la llevó a orar, ni cuando Dios intervino para salvar su vida.

Todos nuestros ejemplos de entregas de milagros muestran que esta parte del proceso puede parecer distinta en diferentes situaciones. Con todo, una constante maravillosa es que el destinatario es casi siempre el primero en saber que se produjo un milagro. Muchas veces, dice algo que te muestra que sucedió el milagro: «Vaya. ¡Esto ha significado un asombroso progreso para mí!» o «Y usted, ¿cómo lo supo?», o simplemente, «¡Esto ha sido un milagro!».

Lo cual nos lleva al último paso del proceso: asegurarnos que la Persona que realizó el milagro se lleve el debido reconocimiento, y no el «repartidor».

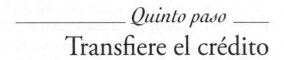

Quinto paso

Transfiere el crédito

Para los «repartidores» como tú y como yo, nuestra misión no está completa hasta que no hagamos brillar el foco de atención sobre lo que Dios acaba de realizar. Nosotros hacemos de manera deliberada todo cuanto está a nuestro alcance para ayudar a la persona a dar ese

Nuestra misión no está completa hasta que no hagamos brillar el foco de atención sobre lo que Dios acaba de realizar.

salto tan importante entre la maravillosa experiencia y la maravillosa fuente de la experiencia: el mismo Dios.

Darle el crédito a Dios significa manifestar gratitud. No obstante, la gratitud solo es el principio. Tal vez recuerdes una historia de los Evangelios donde Jesús sanó a diez leprosos, pero solo uno regresó para darle las gracias. Observa cómo recoge Lucas la respuesta de este hombre:

Entonces uno de ellos, viendo que había sido sanado, volvió, glorificando a Dios a gran voz, y se postró rostro en tierra a sus pies, dándole gracias[3].

El agradecimiento a Dios se centra en cómo nos sentimos con relación a su regalo, mientras que glorificar a Dios se centra en lo que sabemos que es cierto acerca del Dador. Dios es la fuente suprema del milagro. Después de un milagro personal, adorarlo con gratitud, sinceridad y acciones de gracias, y tal vez hasta «a gran voz», es el reconocimiento máximo de que comprendimos en realidad lo que acaba de suceder.

Mientras más ayudemos al que recibe el milagro para que dé esa clase de respuesta sincera, más completa será nuestra forma de entregar ese milagro.

A veces descubrirás que tus encuentros terminan con una transferencia parcial (considera cómo terminó mi conversación con el hombre de la furgoneta, en el cuarto capítulo). Cuando estás tratando con personas que no parecen tener una relación abierta con Dios en esos momentos, lo que necesitas es atraer su atención hacia un Dios personal y amoroso, de una forma que les parezca natural y no les «huela a iglesia».

Por supuesto, a veces un milagro se desarrolla de tal manera que nunca se pone en duda la intervención de Dios. Esto es lo que hace que tales milagros de oración sean un gran vehículo para revelar la bondad y el poder de Dios. Cuando Él responde a una petición concreta con un milagro, su mano es evidente de inmediato.

O tomemos la experiencia de Owen en el retiro de hombres. Se produjo en un ambiente en el que la transferencia del crédito a Dios llegó con naturalidad. Todos los hombres presentes esa noche alabaron y adoraron a Dios por sus maravillosas obras con gran entusiasmo.

¿Cómo nos aseguramos que Dios reciba el crédito?

Me parece que lo primero es ayudar a la otra persona a describir con palabras lo que acaba de suceder. Ayudarla a reconocer que fue Dios el que se acaba de manifestar. Sin embargo, no le digas eso. Si es obvio que esto es lo sucedido, ayúdala a llegar por su cuenta a esa conclusión. Por ejemplo, podrías comenzar preguntándole: «¿Qué acaba de suceder?». Si Dios hizo algo en su corazón, enseguida dirá algo así: «¡Ese fue Dios!» o «No puedo creer lo que acaba de suceder... ¡siento que es milagroso!».

Es muy importante que la persona se escuche mientras dice con sus propias palabras lo sucedido. De esta manera, el significado del acontecimiento, no solo el hecho en sí, se eleva en su conciencia y permanece en su memoria.

Como al abrir el corazón, tenemos la responsabilidad del paso de llevar a la persona a comprender lo sucedido y responderle a Dios. Nuestro trabajo, y el maravilloso privilegio, es enlazar el corazón de esa persona a las acciones de Dios, de modo que le pueda expresar su agradecimiento. En mi caso, por lo general, me muevo a lo largo de esto en tres etapas.

En primer lugar, ayudo a la otra persona *a identificar y describir la necesidad concreta que se satisfizo*. Con tal propósito, puedo usar preguntas sugestivas como estas:

- «Ya no siente ese temor que sentía, ¿no es cierto?»
- «¿Ve diferente ahora lo que cuesta la amargura?»
- «Algo cambió dentro de usted, ¿no es cierto? ¿Qué fue?»

En segundo lugar, ayudo a la persona *a expresar cómo se siente con respecto a lo que hizo Dios*. Por ejemplo, le podría preguntar:

- «¿Cómo se siente con respecto a lo que Dios acaba de hacer?»

- «¿Qué le ha mostrado Dios sobre lo mucho que Él se interesa en verdad por usted?»

Por último, la ayudo *a transferirle a Dios el crédito debido*. Podría decir algo como esto:

- «¿Puede hacer una breve oración a Dios para darle gracias por ese regalo?» O, «¿Me permite que ore en su nombre?»
- «¿No le parece que a Dios le agradaría saber cómo se siente con respecto a Él en estos momentos?»

Para muchos, lo que dicen a continuación será la primera vez en su vida que le dan la gloria a Dios por algo que Él les hizo en lo personal.

A esta altura, espero que estés viendo que la transferencia del crédito podría parecer optativa, como el lazo sobre un regalo envuelto en papel de lujo, pero no es así. En realidad, va al corazón de lo que hemos hablado en *Tú naciste para esto*.

No basta que la gente buena haga buenas obras en el mundo para realizar a plenitud todo lo que Dios quiere que se haga. Dios quiere revelársele en majestad y en verdad a nuestra generación, y lo hace por medio de nosotros. Por eso un milagro que se acabe de entregar y recibir es una oportunidad única para darle la gloria que solo merece Él.

Cuando tu cita de milagros le transfiera por completo el crédito a Dios mediante una sincera declaración u oración, es hora de celebrar. ¡Acabas de completar la entrega de un milagro!

Cinco palabras, otra historia que contar

Ya viste la descripción de un proceso que Dios puede usar en tu vida. Comienza cuando te levantas por la mañana como una persona que le pide a Dios que la envíe. Entonces, viene tu asociación con Dios para entregar un milagro personal en una emocionante secuencia de sucesos que van desde «Hola» hasta «Misión cumplida».

Cuando doy seminarios sobre este tema, las personas se repiten unas a otras la secuencia: *Identifica. Aísla. Abre. Entrega. Transfiere.*

Cinco palabras.

Cinco pasos de un proceso.

¡Otro milagro entregado con éxito!

En la próxima sección, aplicarás estos cinco pasos a tres clases distintas de milagros personales. En cada uno de los tres capítulos siguientes, te mostraré cómo puedes adquirir cada vez mayor habilidad en cuanto a asociarte con Dios para obtener resultados milagrosos.

Cuarta parte

TRES LLAVES PARA LOS MILAGROS DE ENTREGA ESPECIAL

Introducción a las llaves para los milagros de entrega especial

En la segunda parte exploramos el poder de cuatro grandes ideas que llamamos «Llaves para una vida de milagros»: la Llave Maestra, la de la Gente, la del Espíritu y la del Riesgo. Estas llaves describen acciones que abren y mantienen de manera constante nuestro potencial para asociarnos con Dios en una vida de milagros. Estas cuatro llaves tienen que ver con nosotros, tienen que ver con una continua transacción personal entre Dios y nosotros.

Una vez aprendidas las señales y los pasos involucrados en la entrega de los milagros personales, dirigimos ahora nuestra atención al segundo conjunto de llaves. Cada una libera un milagro para una necesidad específica y universal. Las llamo «Llaves para los milagros de entrega especial». Estas tres llaves tienen que ver con las demás personas y con lo que Dios quiere hacer de manera sobrenatural por medio de ti para satisfacerles una necesidad concreta.

Es probable que hayas enviado o recibido alguna vez un paquete marcado como «Entrega especial». Esa etiqueta significa que el repartidor va a manipular el paquete con gran cuidado, a fin de asegurarse que la entrega sea como es apropiado a la persona debida. De forma similar, cuando el cielo envía un agente suyo con uno de estos milagros de entrega especial, se emplean algunas directrices más. Por ejemplo:

- Los milagros de entrega especial suelen comenzar y terminar en el contexto de una conversación.
- La conversación revela pistas universales indicando que Dios quiere satisfacer una necesidad concreta de una manera específica.
- El «repartidor» aplica verdades bíblicas que descubren lo que debe suceder para que se produzca el milagro.
- El «repartidor» sigue la secuencia de los cinco pasos para entregar el milagro.
- Debido a que se conocen la necesidad y lo que quiere lograr Dios, el agente guía la conversación hacia un resultado previsible.

Las tres necesidades que analizaremos: el dinero, los sueños de la vida y el perdón, no solo son universales, sino que también representan las clases de milagros personales que parecen más necesarios. Además, representan aspectos en los que las personas sufren de conceptos erróneos en cuanto al asunto. Una vez que comprendamos lo que enseña la Biblia sobre cada una de estas necesidades, podemos ser intencionales y cada vez más hábiles en entregarles milagros a las personas que los necesiten.

He aquí un adelanto:

La llave del dinero libera conceptos bíblicos que te preparan para entregarle un milagro de provisión monetaria a una persona necesitada. El milagro se produce porque Dios te envía a ti y a sus recursos monetarios para conectarte con una persona que tiene una necesidad económica concreta.

La llave de los sueños libera conceptos bíblicos que te preparan para entregarles un milagro de progreso a los que necesitan adoptar y realizar los sueños que Dios les ha dado para su vida. Cuando las personas que han malentendido o desechado los sueños de su vida captan la verdad y se comprometen a seguirla, su vida mejora de una forma drástica.

La llave del perdón libera conceptos bíblicos que te facultan para asociarte con el Espíritu a fin de producir avances milagrosos en los aspectos relacionados con las heridas del corazón. Cuando identificas las creencias erróneas que mantienen a una persona sufriendo por falta de perdón, así como las creencias adecuadas y necesarias para darle sanidad, Dios obra por medio de ti para entregarle un maravilloso milagro de perdón y libertad.

Por supuesto, no son estos los únicos aspectos en los que Dios quiere satisfacer necesidades. Sin embargo, descubrirás, como yo, que es raro el día en el que no te encuentras con personas agobiadas por una necesidad económica, confundidas en cuanto al propósito de su vida o atascadas en la amargura y el resentimiento.

Una de las mejores cosas de estos milagros es que no tenemos que preguntarnos qué quiere Dios que suceda. Cuando Él nos lleva hasta alguien con una de esas necesidades, nos acercamos a la persona sintiéndonos seguros. Sabemos que Dios quiere satisfacer la necesidad, conocemos la verdad que trae el cambio de vida y sabemos cómo asociarnos con Él para entregar el milagro. Por eso decimos que estas son las llaves para los milagros de entrega especial.

Las tres necesidades que analizaremos: el dinero, los sueños de la vida y el perdón, no solo son universales, sino que también representan las clases de milagros personales que parecen más necesarios.

10

La llave del dinero

Tú naciste para entregar milagros de provisión económica

Una noche, después de una conferencia en Johannesburgo, a mi hijo, David, y a mí nos atacó de repente el mismo pensamiento desesperado: teníamos que comer un poco de helado. Es cierto. Mi hijo y yo parece que compartimos el gen de doble fuerza de los postres. Regresamos a la carrera al hotel donde estábamos parando, con la esperanza de que el restaurante estuviera abierto todavía. Lo hicimos justo a tiempo.

Cuando llegó la camarera para anotar nuestro pedido, le dije:

—No tiene idea de lo mucho que nos alegramos de encontrarla. Hemos venido a toda prisa desde el otro extremo de la ciudad, solo para tomarnos un helado.

Lo que me dijo a continuación era para romperle el corazón a cualquiera.

—Lo siento mucho, señor. Acabamos de cerrar hasta mañana. No le puedo servir helado, pero le podría traer café.

David y yo nos miramos. ¿Corrimos tanto hasta aquí en vano? Decidí preguntarle de nuevo.

—Claro, vamos a tomar café descafeinado. Sin embargo, ¿no habrá alguna forma de que pueda hallar un poco de helado para dos hombres que se lo agradecerían de veras?

—Voy a ver qué puedo hacer —me dijo sonriendo.

Mientras se alejaba, recibí un impulso inesperado, pero inconfundible, de Dios. De alguna manera, estábamos allí por ella también, no solo por el helado. El impulso era claro y concreto: *Dale una propina generosa*. En realidad, era más bien *Dale una propina muy generosa*.

Y todavía no habíamos recibido el helado.

Cuando le conté a David sobre aquel impulso, me respondió: «Papá, yo estaba pensando en eso ahora mismo. Sin embargo, ¿una propina muy generosa por traernos qué?».

Los dos nos echamos a reír. Aun así, mi risa escondía la incomodidad que estaba sintiendo. Verás, hacía poco que había estado en el banco y sucedía que tenía un gran rollo de rands (la moneda sudafricana) en mi bolsillo. Tenía claro en mi corazón que Dios relacionó la «propina muy generosa» con ese rollo de billetes. Parecían ser la misma cosa.

Bueno, te puedo decir que Dios ama a la gente que le encanta el helado. La camarera regresó de la cocina con dos grandes tazones de helado... y dos cafés para acompañarlos.

Mientras terminábamos, saqué los billetes de mi bolsillo, los doblé en un fajo y lo mantuve listo debajo de la mesa. Cuando se nos acercó la camarera con la cuenta, le dije: «Usted fue muy bondadosa al buscarnos ese helado cuando la cocina ya estaba cerrada. Le agradecemos la forma tan extraordinaria en que nos sirvió y le queremos dar una propina que refleje ese agradecimiento». Entonces, le deslicé el dinero dentro del bolsillo del delantal. Ni siquiera quise que David viera cuánto era.

¿Puedes adivinar cómo me sentía en ese momento? No era heroico, profundo ni generoso. No, me sentía más bien torpe. No quería que me malinterpretaran. En un hotel de Johannesburgo, como en muchos otros lugares, la única razón por la que un hombre está dispuesto a darle una cantidad de dinero así a una mujer es porque trata de comprar sus favores para la noche. ¿Qué trataba de hacer Dios?

Tres minutos más tarde, la camarera regresó a toda prisa hasta nuestra mesa.

—Usted conoce a Jesús, ¿verdad? —me dijo con lágrimas en los ojos.

—Sí.

—¡Lo sabía! ¡Esto es un milagro! —exclamó—. Tengo un bebé, no hemos podido pagar el alquiler y el dueño nos iba a echar de nuestro apartamento mañana por la mañana. Esta misma tarde, oré a Dios mientras venía para el trabajo: "Señor, por favor, envíanos el dinero o tendremos que vivir en la calle".

Se enjugó las lágrimas.

—Señor, esta es la cantidad exacta que debo de alquiler... *hasta el último rand*. Así fue que supe que usted conocía a Jesús.

David y yo salimos de ese restaurante convertidos en dos hombres felices.

Listo y dispuesto

¿Puedes distinguir las señales de Dios que obraron en nuestra aventura del helado? Sin duda, ¡nosotros sí! Para mí resaltan algunos elementos clave de las entregas de milagros de las que hemos hablado:

- Dios obra entre bastidores, organizando el lugar y el momento para una conexión de milagro.
- Dios impulsa a un enviado para que se conecte con la persona necesitada.
- Dios arregla el hecho de modo que cuando ocurra la entrega, el destinatario sepa en su corazón que Dios intervino de manera específica en su favor.

Sin embargo, esa noche Dios fue creativo. Me impulsó a hacer algo que sentía excesivo y tonto. Supe a quién le debía dar el dinero, pero no tenía ni idea de la razón, ni de cuánto necesitaba. Aunque le habría podido dar una sacudida para aislar su necesidad, no lo hice. A decir verdad, ni siquiera se me ocurrió. Y creo saber por qué.

Dios quería demostrar su generosa bondad de una forma muy notable. Así que decidió usar a un par de fanáticos por los helados para llevarle a una mamá ansiosa una experiencia sobrenatural de su amoroso cuidado de una manera que nunca lo olvidara.

La forma en que tú y yo pensemos acerca de nuestro dinero y lo administremos, le importa mucho a Dios. Jesús habló con frecuencia del dinero, y se pasó la mayor parte de su tiempo con los que no tenían gran cosa. Tuvo hambre, ayudó a sus amigos a pagar los impuestos y honró a los que daban de su pobreza. Sin duda, Dios quiere que seamos cuidadosos y generosos con nuestros recursos.

Dios tiene el propósito que usemos nuestro dinero para manifestar su bondad y su fidelidad de maneras milagrosas.

Ahora bien, si nos detenemos aquí, nos perdemos una idea mucho mayor: que Dios tiene el propósito de que usemos nuestro dinero para manifestar su bondad y su fidelidad de maneras milagrosas.

El primer milagro de entrega especial del que te quiero hablar, tiene que ver con este aspecto de interés y necesidad universales: la provisión económica. ¿Podrías pensar en algo que le preocupe más a la gente hoy en todo el mundo? ¿Cómo cambiaría tu vida si Dios obrara por medio de ti con regularidad a fin de satisfacer de manera milagrosa las necesidades monetarias de otras personas?

La Llave del Dinero libera un milagro de provisión económica para otra persona. Ese milagro se produce porque Dios te envía con sus recursos a una persona que tiene una necesidad. Tu entrega del milagro se basa en poderosas verdades bíblicas acerca de la forma sobrenatural en que Dios obra por medio de las personas aquí en la tierra para satisfacer las necesidades económicas.

Al igual que los otros dos milagros que analizaremos en esta sección, el milagro de dinero suele ser previsible con mucha frecuencia. Con eso quiero decir que, desde el comienzo de tu cita de milagros, sabes que Dios quiere satisfacer una necesidad monetaria por medio de ti.

Aun cuando casi siempre nos sentimos protectores y hasta posesivos de nuestros recursos, y llegamos incluso a ser posesivos con ellos, la promesa de la Llave del Dinero es liberadora y gratificante. Descubrirás que la recompensa de quien forma sociedad con Dios de maneras prácticas y visibles se convierte en algo que espera con ansias genuinas.

Los milagros económicos suelen comenzar con un impulso que nos da Dios. Por lo general, ese impulso nos toma por sorpresa. (Considera sus planes para mi rollo de rands sudafricanos). Sin embargo, todos tienen la misma meta: un milagro que ilumine con todos sus reflectores a Dios el Dador y haga que alguien exclame: «¡Qué maravilla! ¡Dios lo envió para satisfacer mi necesidad económica!».

La Llave del Dinero tiene sus raíces en una aplicación llena de fe del consejo de Pablo en 1 Timoteo 6, donde escribe:

> *Mándales que hagan el bien, que sean ricos en buenas obras, y generosos, dispuestos a compartir lo que tienen*[1].

Observe en especial las palabras «generosos, dispuestos a compartir». Estas palabras ponen los cimientos para que las misiones de milagros satisfagan las necesidades económicas de otras personas. Nos preparamos para ser socios de Dios en un milagro de dinero mediante la aplicación de estas directrices gemelas, la buena disposición y la generosidad, a la manera en que enfocamos nuestras prioridades monetarias. Nuestro compromiso previo a las alertas del cielo es de que estamos listos por completo para actuar cuando Dios nos ponga delante una oportunidad para entregar un milagro.

En caso de que te despistaras debido al gran rollo de billetes de mi historia, te quiero asegurar que igual de fácil Dios hace milagros con un billete de cinco o de diez dólares, que con uno de cien. Sin embargo, nosotros no llegaremos a ninguna parte, a menos que comprendamos la agenda de Dios para el dinero y cómo hace en realidad una provisión económica a una persona necesitada.

Cómo Dios transfiere dinero

¿Cómo, en concreto, mueve Dios el dinero de una parte a otra con el fin de suplir necesidades en la tierra? De forma específica, ¿cómo lo haría para ti?

¿Podría el cielo encontrar la forma de hacer una transferencia de dinero a tu cuenta bancaria?

¿Podría el cielo imprimir unos billetes y dejarlos caer desde el cielo hasta la puerta de tu casa?

¿Podría Dios, quien es el dueño de «los millares de animales en los collados», como dice el Salmo 50, conseguir un préstamo sobre sus propiedades terrenales para suplir tu necesidad?

¿Podría un ángel entregar el dinero de las cajas de caudales del cielo?

Cuando se trata de las oraciones para pedir un milagro económico, el cielo depende de la gente para darles respuesta.

Es posible que la respuesta te sorprenda. Aunque Él podría hacer cada una de esas cosas, todo parece indicar que no las hace. Dios solo le hace llegar dinero a una persona necesitada siempre que otro ser humano destina parte de sus fondos para ese propósito. Cuando se trata de las oraciones para pedir un milagro económico, el cielo depende de la gente para darles respuesta.

Un versículo de la Biblia describe de forma sucinta el proceso de transferencia de Dios:

El que se apiada del pobre presta al SEÑOR [2].

Sorprendente, ¿verdad? Y el versículo no dice que es *como* un préstamo. En el mismo momento en que una persona generosa da algo como respuesta a un impulso divino, se produce en el cielo una segunda transferencia invisible. Con esos mismos fondos, la persona generosa «presta al SEÑOR». Y ahora, Dios tiene fondos para responder a la oración de la otra persona con un milagro monetario.

Ahora, veamos el principio universal revelado en la segunda parte del versículo:

Y Él [Dios] lo recompensará por su buena obra [3].

¿Lo ves? Todavía hay otra sorpresa que se vincula a la primera: un préstamo para Dios y su obra, lo devolverá el cielo. Jesús confirmó muchas veces este principio de la devolución divina. Es más, dijo que hasta un vaso de agua se le acreditaría al dador [4].

Después de comprender cómo sucede este proceso, puedes entender por qué a Dios le encanta iniciar milagros con dinero. Analicemos de nuevo la secuencia de un milagro económico desde la necesidad humana hasta la provisión sobrenatural:

- Una persona tiene una necesidad económica real.
- El cielo o bien escucha sus oraciones por ayuda o reconoce sus necesidades no expresadas.
- El cielo decide responder a esa necesidad económica con una cantidad concreta e identifica una situación y un momento óptimos para la entrega.
- El cielo impulsa a una persona que tiene los fondos y la oportunidad para satisfacer esas necesidades.
- El «repartidor» le da el dinero a la persona necesitada, preparando así el camino para que el Señor reciba todo el crédito y el agradecimiento.

Cuando piensas en la cantidad de personas que necesitan un milagro monetario y cómo pocas son las que responden a un impulso de Dios relacionado con el dinero, comienzas a ver por qué son tantas las oportunidades que esperan a todo el que quiera asociarse con Dios para un milagro monetario.

Si eres esa persona, ¿por dónde comenzarías hoy? Te lo mostraré.

Quiero presentarte uno de mis recursos prácticos favoritos que provoca milagros económicos. Algo que lo hace tan poderoso, y agradable, es que das un dinero que no es tuyo.

Le llamo el Bolsillo de Dios.

¿Qué es un Bolsillo de Dios?

El Bolsillo de Dios es un lugar específico en tu billetera o bolso donde guardas el dinero que le has dedicado a Dios, a fin de podérselo dar a alguien necesitado en cuanto sientas que Él te impulsa a hacerlo. Al igual que la sacudida de Eliseo («¿Qué puedo hacer por ti?»), te lanza a una emocionante vida de milagros de servicio, el Bolsillo de Dios te lanza a una emocionante vida de milagros económicos.

La idea del Bolsillo de Dios nació de la frustración que sentíamos mi esposa, Darlene, y yo acerca de lo que podíamos dar en nuestros primeros tiempos de casados. No es que no fuéramos generosos con nuestra iglesia y otras causas valiosas. Lo éramos. Sin embargo, cuando le dábamos algo a una persona, Dios no parecía presentarse con mucha frecuencia en medio del proceso. Mientras más pensábamos en el consejo de Pablo de que fuéramos «generosos, dispuestos a compartir», más comprendíamos que tal vez nuestro problema no estuviera en *lo que dábamos*, ni *dónde lo dábamos*, sino en *cómo lo dábamos*.

¿Qué sucedería si fuéramos «generosos» por adelantado de modo que pudiéramos responder de manera palpable y sin titubeos a un impulso que nos enviara Dios? El sencillo recurso del Bolsillo de Dios se convirtió en nuestra respuesta.

Con el fin de prepararte para un milagro del Bolsillo de Dios, da estos cinco pasos útiles:

Primero, decide cuánto dinero vas a poner en tu Bolsillo de Dios. Ese dinero no es el que vas a dar en tu iglesia o en otras organizaciones, sino un dinero adicional, cuyo fin concreto es que Dios lo use para entregarles a otras personas un milagro monetario. Si te sientes confuso en cuanto a la cantidad con la que debas comenzar, pídele ayuda a Dios. Él te bendice más cuando das con gozo una suma que es importante para ti[5].

> *Dedicar algo, en el sentido bíblico, significa que lo entregas por adelantado a Dios.*

Segundo, dedícale esa cantidad de dinero directamente a Dios. Dedicar algo, en el sentido bíblico, significa que lo entregas por adelantado a otra persona... en este caso, a Dios. Cuando le dedicas, digamos, veinte dólares a Dios, lo que le expresas es: «A partir de este momento, estos veinte dólares son tuyos. Los llevaré conmigo en tu nombre, hasta que me indiques para quién son».

Tercero, deposita ese dinero dedicado en tu Bolsillo de Dios. Escoge un lugar especial de tu billetera o bolso, donde no lo confundas con el resto del dinero. El único dinero que entra en el Bolsillo de Dios es el que apartaste por adelantado como de Dios, no tuyo. A partir de ahora, guarda allí solo el dinero dedicado. Es el Bolsillo de Dios.

Cuarto, decide en ese mismo instante que cuando Dios te impulse a darlo, no discutirás con Él, ni te apartarás de la tarea. Recuerda que no responde a unas necesidades evidentes, sino a un impulso que viene de Dios. Confías en que Dios satisfará una necesidad que Él conoce y te la revela de manera específica.

Nancy, una buena amiga de nuestra familia, sintió el impulso de entregarle el dinero de su Bolsillo de Dios a una mujer que no conocía bien. Sin embargo, cuando fue a verla a su casa, descubrió que la casa era mejor que la suya. En ese momento, tal y como Nancy me lo contó, se sintió muy tentada a marcharse. Una vez dentro, descubrió que la destinataria se hallaba en una terrible estrechez económica. Para la mujer necesitada, el Bolsillo de Dios fue un inconfundible milagro de provisión.

Quinto, depende de manera consciente en que el Señor te impulsará cuándo, dónde y a quién Él quiera que se le entreguen sus fondos. ¡Él lo hará! Tú no tienes que inquietarte en cuanto a quién Él tiene en mente ni cuándo hará su movimiento. Quizá te impulse hoy, o esta semana, o el mes que viene. Mientras tanto, siéntete libre de dedicarte a lo tuyo como una persona enviada... «generosos, dispuestos a compartir».

¿Qué hace que sean tan eficaces unos preparativos tan sencillos para un milagro monetario? Piensa en cuántas veces has recibido un impulso de Dios, pero en tu confusión con respecto a lo que significa, o a lo que debes hacer, estás convencido de que no debes hacer nada. El Bolsillo de Dios cambia esto. Si llevas contigo un dinero que ya no es tuyo, un dinero del que te desprendiste en lo emocional, eres libre de actuar cuando Dios te impulse. Y cuando actúes, lo harás con libertad, gozo y expectación.

Ten el cuidado de tratar con gran respeto el dinero de tu Bolsillo de Dios. Por ejemplo, solo porque andes con ese dinero no significa que sea un fondo de emergencia del que puedas pedir prestado cuando surja una necesidad o cuando consideres un artículo en liquidación que no te puedes perder. Ni siquiera se trata de un dinero que pondrás en el plato de la ofrenda en la iglesia. ¿Recuerdas? El dinero en tu Bolsillo de Dios ya le pertenece a Dios. Por tanto, mientras Él no te impulse hacia una persona en particular, no lo toques.

Algunas veces, la necesidad que Dios quiere satisfacer no solo es monetaria, sino también emocional. A través de mis experiencias con el Bolsillo de Dios, Él me ha demostrado de una manera memorable lo que quiso decir cuando se describió como «misericordioso y piadoso; tardo para la ira, y grande en misericordia»[6].

¿Y qué apariencia tiene con exactitud eso de que es «grande en misericordia»? Bueno, es diferente en distintas situaciones. He aquí su apariencia en un gran almacén en las montañas Rocallosas.

«Alguien me envió»

En un viaje al oeste, necesité un reloj de pulsera con urgencia. (He descubierto que el orador invitado que no tiene control de su tiempo, raras veces recibe una segunda invitación). Parado ante el mostrador de la tienda, estaba a punto de escoger mi reloj cuando me llamó la atención una persona que miraba la misma vidriera. Llevaba algún tiempo mirando con fijeza un reloj en particular, al parecer, tratando de convencerse para comprarlo.

—Es un reloj hermoso —le dije—. ¡Parece hecho para usted!

El ribete de turquesas que tenía el reloj hacía una combinación perfecta con sus atuendos de nativa estadounidense.

—¿De verdad lo cree? —me contestó.

—Sí. ¿Por qué no se lo compra?

—No, yo nunca podría comprar este reloj —me respondió.

—Cuánto lo siento —le dije—. Tal vez nunca vuelva a encontrar un reloj como ese.

—Ya lo sé —dijo, y volvió a poner con delicadeza el reloj sobre el mostrador.

Yo estaba listo para probarme el reloj que escogí para mí, cuando recibí un impulso inesperado, pero claro, de Dios. *Ah*, pensé. *Ella.* Me tomó por sorpresa. *¿Un reloj con turquesas? ¿Y ahora mismo?* Sin embargo, las señales eran inconfundibles. La miré de frente.

—Ah... Es fácil notar que a usted le encantaría de veras tener este reloj. ¿Me permite el privilegio de comprárselo?

—¿Qué?

—¿No le gustaría tener ese reloj?

—¡Sí, y mucho, pero usted no me lo puede comprar!

—No, yo no —le dije titubeando.

¿Cómo le explicas lo del Bolsillo de Dios a una persona desconocida? En realidad, no vas a poder. No obstante, le puedes hablar acerca del verdadero dueño de esos fondos.

—Un amigo mío muy especial me indicó que llevara conmigo parte de sus fondos —seguí diciendo—. Me pidió que estuviera alerta hasta que encontrara una persona a la que a mí me parecería que Él desearía ayudar en realidad con su dinero. Cuando encontrara esa persona, se suponía que debía usar el dinero. Sin lugar a dudas, creo que mi amigo desearía que usted tuviera este reloj.

—¿De veras? —me dijo, tratando de acabar de captar lo que le dije.

—Sí, claro. Es cierto. A Él le encantaría de verdad podérselo comprar —le dije y, entonces, llamé a la empleada para que nos atendiera.

—¡Ah, Dios mío! —dijo ella. Miró el reloj y después me miró a mí. Entonces dijo, casi para sí misma:

—Y yo que ya había perdido toda mi confianza en la humanidad.

Entonces fue cuando noté de verdad su rostro por vez primera. Tenía profundas arrugas y una expresión de tristeza muy profunda.

—A usted la han herido mucho, ¿no es cierto? —le dije—. La han herido muchas veces.

—Sí, es cierto —afirmó y se le aguaron los ojos.

—Bueno, Alguien que conoce sus heridas me envió desde Atlanta, porque quiere que usted sepa que Él se interesa de manera profunda en usted. ¿Sabría decirme de quién se trata?

En ese momento, pareció encendérsele una luz.

—Es Dios, ¿no es cierto?

—Él la ama de verdad, ¿no le parece? —le dije en voz baja.

Ella se enjugaba las lágrimas mientras le compraba aquel reloj con los fondos de mi Bolsillo de Dios y se lo entregaba.

Sin embargo, Dios no había terminado aún.

—Jesús conoció el sufrimiento más que ninguna otra persona que usted se pueda encontrar en la vida. Cada vez que mire este reloj, recuerde que Dios la ama y que quiere que su corazón no solo se sane, sino que cante.

Cuando salí de esa tienda, mi corazón iba cantando también.

Los cinco pasos para la entrega de un milagro monetario

Tal vez hayas reconocido un patrón de entrega que ya te es conocido, o al menos las partes que se repiten, en las historias que aparecen en este capítulo. Eso se debe a que la forma en que uno entrega un milagro monetario sigue un patrón similar al de otros milagros de los que hablamos en este libro. El proceso en cinco pasos que aplicaré a continuación te ayudará a asociarte a propósito con Dios para entregar un milagro monetario.

Primer paso: Identifica a la persona que Dios quiere ayudar. En los milagros de dinero Dios nos guía con un impulso. Piensa en lo que sucedió cuando David y yo esperábamos el helado en Johannesburgo: Dios me impulsó de manera clara para ayudar a la camarera. A fin de superar mis incertidumbres y temores, tuve que ejercitar de forma deliberada mi fe y seguir adelante, confiando en que el Señor me guiaría como Él lo prometió.

Con la señora ante el mostrador de la tienda, Dios también inició el proceso con un impulso. Con un milagro de dinero, esa secuencia parece repetirse mucho; Dios nos dirige *hacia* una persona (el impulso) y después reconocemos a menudo lo que le debemos dar a la persona durante el proceso.

Sobre todo en el campo económico, donde con frecuencia encontramos personas con estrés, debemos recordar que no cada necesidad es una invitación a usar nuestro Bolsillo de Dios. Además, las apariencias externas muchas veces no son de fiar, como descubrió nuestra amiga Nancy. Solo Dios conoce todos los hechos acerca de las verdaderas necesidades monetarias de alguien. Por eso les debemos dar a sus impulsos una prioridad más elevada que a nuestros sentimientos u observaciones. Eso incluyen las pistas que vemos.

El Bolsillo de Dios se halla directamente relacionado con el impulso que Él nos da, no con una pista ni con una sacudida. En otras palabras, la pista no es la que inicia el Bolsillo de Dios; solo lo hace el impulso. ¿Por qué? Porque aunque sintamos en el corazón las necesidades de otra persona, eso no nos da el derecho de tomar decisiones en cuanto a dónde, cuándo y a quién Dios le quiere entregar su dinero. Por supuesto, siempre tenemos la libertad de darle de nuestro propio dinero a una persona necesitada, solo que no lo debemos hacer tomando los fondos designados para el Bolsillo de Dios.

La pista podría ser una invitación para que usemos nuestros fondos en ayudar a alguien, pero a menos que el cielo demuestre estar de acuerdo mediante un impulso, o algún otro tipo de confirmación, no debemos tomar ese tipo de decisiones por Dios. Además, tenemos una cantidad fija de dinero disponible para el Bolsillo de Dios, y no sabemos si Él va a querer que le demos su dinero a otra persona un par de horas más tarde. Si vaciamos su cuenta sin contar con Él, asumiremos una autoridad que no tenemos. ¡El banquero no gasta en sus cosas el dinero de los clientes del banco!

Segundo paso: Aísla la necesidad. Una vez que Dios use un impulso para llevarte hasta la persona que quiere que ayudes, quizá descubras que necesitas usar una pista o una sacudida para identificar cuál es la necesidad particular que Dios quiere satisfacer.

Hace poco, tuve una conversación en un estacionamiento con Charles, un hombre muy trabajador que parecía tener más de una necesidad importante. Casi todo de lo que me habló fue de las dificultades por las que estaba pasando con sus hijos adolescentes y en el trabajo. Sin embargo, cuando hizo de pasada un comentario acerca de su necesidad de arreglarse los dientes delanteros, le cambió la expresión del rostro. Bajó el tono de su voz.

—¿Usted tiene un dentista? —le pregunté.

—Claro —me dijo—. Pero no tengo seguro. Y tal como está hoy la situación en nuestra casa, mis dientes nunca van a llegar al primer lugar de la lista.

De repente, supe por qué Dios me había metido en aquella conversación. Entre todas las necesidades que tenía Charles, era su obvia necesidad de que le arreglaran los dientes la que parecía causarle más sufrimiento personal.

Tercer paso: Abre el corazón e incrementa el deseo. En el caso de Charles, sentí que la necesidad que Dios me llevó a resolver estaba clara. Por su tono de voz, la expresión de su rostro y el lenguaje corporal, supe que su corazón ya se estaba abriendo.

Un paso adicional que doy muchas veces en este punto es el de ayudar a la persona a aclarar e intensificar su deseo por el milagro concreto que Dios quiere que le entregue. Para logarlo, trato de enfocar la atención de la persona en esa necesidad sola, aislada, dejando a un lado todos los otros deseos en competencia con ella que pudieran aflorar. ¿Por qué es tan importante esto? Quiero guiar a la persona a la firme conclusión de que va a usar de veras esos fondos para el propósito identificado y no los malgastará cuando yo ya no esté presente.

Otra razón para aclarar e incrementar el deseo del destinatario es que, en el momento de la entrega del milagro, quiero que la persona tenga una respuesta emocional de gratitud a Dios que sea lo más fuerte posible. Mientras más poderosa sea la respuesta emocional, más crédito y mayor gloria recibirá Dios, y más duradero será el recuerdo de su bondad en el corazón del destinatario.

Por eso, nuestro papel como «repartidores» es, en parte, activar el deseo de los que recibirán los milagros. Una o dos preguntas sencillas te ayudarán a lograr que la persona se encuentre más en contacto con sus anhelos más profundos. Preguntas como «¿Por qué eso es tan importante para usted?» o «Si de alguna forma el cielo le concediera eso, ¿cómo se sentiría?». Todo lo que hacemos es centrar su atención en los sentimientos de esperanza, dolor o desespero que envuelven con fuerza la necesidad. A Charles le pregunté:

—Si hubiera fondos disponibles para que se arreglara los dientes, o para usarlos en alguna otra cosa, ¿qué haría usted?

Con esto, le pedía que expresara con palabras hasta qué punto llegaba su deseo. Charles movió la cabeza con incredulidad.

—Bueno, eso no va a suceder —dijo, luego, bajó la voz y habló como si estuviera soñando—. Pero si sucediera... creo que me sentiría como un hombre nuevo. No me estaría sintiendo avergonzado todo el tiempo.

Estaba claro que la angustia personal que le causaba el problema de sus dientes se hallaba en el primer lugar de su lista y el grado de su deseo era intenso.

—Muy bien, Charles. Tengo una noticia maravillosa que me gustaría darle —comencé diciendo. Ya era hora de dar el cuarto paso.

Cuarto paso: Entrega el milagro. A estas alturas, tal vez te imagines lo que le dije después a Charles:

—Hace algún tiempo, alguien me confió algún dinero. Me dijo que cuando viera una necesidad que Él deseara suplir si hubiera estado aquí, le pasara su dinero en su nombre.

Como sucede a menudo, la sorpresa y el gozo de Charles demostró enseguida que había entendido quién estaba detrás de ese milagro.

Cuando estés entregando el dinero, sigue hablándole al corazón a la otra persona, refiriéndote de forma directa a su necesidad. Céntrate en su respuesta emocional. Recuerda, el Espíritu Santo está obrando en su corazón para acercarlo más a Dios mediante este milagro. Además, una revelación personal y poderosa de la compasión de Dios es un resultado muy importante de cualquier milagro que entreguemos en su nombre.

Cuando entregamos los fondos del Señor con excelencia, el corazón de la persona se abrirá de par en par para Él. Tú has experimentado esto en tu propia vida: Dios se hizo evidente para ti de tal manera que le derramaste con espontaneidad tu intenso gozo, agradecimiento y alabanza. ¡Al cielo le encanta esa clase de respuesta!

Por supuesto, el milagro económico comenzó con Dios. No obstante, si le pediste que te enviara, le pedías su corazón por esos a los que te enviaría, e invitabas a su Espíritu para que hiciera su obra sobrenatural por medio de ti. Por eso, cuando Él te guía con impulsos e insinuaciones, puedes estar seguro de que Él está obrando de manera activa en ti y en la otra persona mientras sigues adelante en fe. De modo activo y confiado depende de Él para que te guíe y comunique sus pensamientos por medio de ti.

Quinto paso: Transfiere el crédito. Estás tratando de hacer la obra de Dios de manera tal que Él sea quien reciba todo el crédito. Dios es el que te reunió con la otra persona para que le pudieras hacer entrega de sus recursos. Tú solo proporcionaste la transferencia.

Considérate como un cajero del cielo, que tramita una retirada de fondos celestiales a petición del Dueño.

Algunas veces, la gloria de Dios resplandece de una manera tan obvia que todo el mundo la puede ver. La camarera de Johannesburgo era seguidora de Jesucristo. Además, estaba en una situación tan desesperada que fue orando de camino a su trabajo por un milagro de provisión. Cuando descubrió lo que le deslicé en el bolsillo de su delantal, supo al instante, sin otra información mía, que era Dios el que respondió su oración. De inmediato, su alabanza y su gratitud surcaron los cielos hacia Él, no hacia mí.

No obstante, si el destinatario comienza a hablar de la buena persona que eres tú, es hora de ayudarla a que se vuelva a enfocar en la realidad. «Recuerde que este dinero no es mío». Es importante que se lo digas. También te sería útil decirle: «El Dueño me indicó que lo llevara conmigo hasta que viera alguien que lo necesitara».

Después, lleve con delicadeza al destinatario a que llegue por su cuenta a una conclusión con respecto a la fuente de aquel regalo. A la mujer en el mostrador de los relojes, le dije: «Alguien que conoce sus heridas me envió desde Atlanta, porque quiere que usted sepa que Él se interesa de manera profunda en usted. ¿Sabría decirme de quién se trata?». Para entonces, sabía a quién me refería y eso me dio una oportunidad para decirle que Dios la amaba.

¡Vas a saber que anotaste una gran victoria cuando la persona se quede tan absorta en el hecho de que Dios se presentó de una forma tan extraordinaria a fin de suplir su necesidad y manifestarle su amor que olvidará que tú estás allí!

Preguntas frecuentes y respuestas útiles

A lo largo de los años, he escuchado varias preguntas de personas que quieren servir a Dios con su dinero, pero vacilan en hacerlo por razones comprensibles. He aquí algunas de sus preocupaciones más comunes.

¿Acaso no se nos dice que demos el dinero en secreto, y no en público, como con el Bolsillo de Dios? Aplaudo a las personas que con sinceridad tratan de vivir de acuerdo con las palabras de Mateo 6:1-4 en cuanto a dar en secreto. Sin embargo, este consejo iba dirigido a unas personas que tenían la motivación egoísta de conseguir con lo que daban el mayor grado posible de reconocimiento público. Jesús se enfrentaba al modelo lleno de orgullo que presentaban los integrantes de la secta religiosa conocida como los fariseos, quienes hacían una ostentación deliberada de su aparente generosidad.

En cambio, con la Llave del Dinero, lo que nos interesa es algo distinto por completo: darle el crédito máximo a Dios. Invitarlo a Él a revelarse a través del dinero significa siempre desviar de nosotros mismos la atención, para dirigirla hacia Dios.

Al fin y al cabo, es el Bolsillo *de Dios*, el dinero *de Dios* y un milagro *de Dios*. Nuestra obra para Él solo tiene éxito si la gente reconoce lo que pasó, no como una buena obra nuestra, sino como una visible prueba de que Dios hizo algo maravilloso y que nosotros solo fuimos sus «repartidores».

En el Sermón del Monte, Jesús ordenó este método directo: «Así alumbre vuestra luz delante de los hombres, para que vean vuestras buenas obras, y glorifiquen a vuestro Padre que está en los cielos»[7]. Su mandato nos recuerda que podemos dar de una manera tan creativa y deliberada, que estemos asegurando un resultado: que Dios reciba gran gloria.

¿Qué sucede si decido darle el dinero a la persona equivocada? Esto podría suceder si actuaras sin recibir un impulso o malinterpretaras un impulso. Dios está tan deseoso de darles milagros económicos a las personas que los necesitan que te va a revelar de manera clara e inconfundible la persona que tiene en mente para ti. Según mi experiencia, cuando una persona da los primeros pasos para servir a Dios con el dinero, Él la guía con pasos de bebé. Con la práctica, mejora nuestra capacidad para detectar su dirección.

¿Qué pasa si la persona usa el dinero para cosas indebidas, como las drogas? Esto puede suceder, pero en mi experiencia es mucho más raro de lo que quizá temas. Recuerda que un milagro económico es algo que hace Dios a la medida, a fin de suplir una necesidad concreta en la vida de una persona. A fin de cuentas, confiamos que Él nos guiará a la persona adecuada y a la necesidad específica que Él quiere suplir. Por supuesto, también necesitamos ser sabios y aprender de nuestros errores. En mi caso, he cometido unos cuantos, pero por fortuna, Dios puede utilizar un regalo que quizá parezca mal dirigido en el momento, a fin de causar un impacto más tarde.

Lleva al extremo los regalos de Dios

Aunque tú y yo somos cautelosos con razón en cuanto a entregar nuestros recursos cuando no vemos ningún beneficio ni recompensa aparente para nosotros, Jesús no es así. ¿Lo has notado alguna vez? Considera su consejo en cómo servir una cena:

> *Cuando des un banquete, invita a los pobres, a los inválidos, a los cojos y a los ciegos. Entonces serás dichoso, pues aunque ellos no tienen con qué recompensarte, serás recompensado en la resurrección de los justos* [8].

Jesús nos dice algo impresionante, y que cambia la vida por completo, acerca del punto de vista del cielo en cuanto a la generosidad. Lo parafrasearía así: ahora que te anotaste para una vida de milagros, no juegues a lo seguro. Dales a los que más descuiden o rechacen los demás. Ofréceles un banquete que nunca olvidarán. Sin falta, arriésgate a no recibir nada a cambio, porque ahora ya sabes la verdad: Dios le vuelve a pagar a los que le prestan a Él[9].

Sin falta, arriésgate a no recibir nada a cambio, porque ahora ya sabes la verdad: Dios le vuelve a pagar a los que le prestan a Él.

Parece algo extremo, ¿verdad? Sin embargo, a estas alturas, deberías haber comprendido la poderosa *razón* que tenemos para irnos a los extremos. Es justo esta forma de dar la que invita a Dios mismo a hacerse visible, a fin de resplandecer en toda su gloria durante un momento inolvidable en la vida de una persona.

¿Cómo le podrías dar un banquete a algún necesitado hoy? ¿Por dónde comenzarías?

Podrías comenzar preparándote por adelantado para dar de un Bolsillo de Dios. Él tiene muchísimos milagros esperando para entregarlos por medio de ti. Además, tú naciste para revelar su exorbitante bondad y generosidad.

11

La llave de los sueños

*Tú naciste para entregar milagros
de propósito para la vida*

Mientras me acercaba al atril, pensaba: Bueno, esto es algo nuevo para mí. La institución *Mary Hall Freedom House*, en el norte de la ciudad de Atlanta, es un programa residencial para mujeres sacadas de las calles que son alcohólicas, adictas a drogas o ambas cosas. Por alguna razón, después de haberme pasado toda una vida hablando y enseñando en muchos lugares del mundo, nunca me había enfrentado a esta clase de público. Sin embargo, mi principal preocupación no era mi público. Era mi tema. Estaba allí para enseñar acerca de los grandes sueños de la vida.

«Bruce, ¿estás seguro de que ese es el mejor tema para esas mujeres?», me preguntó un amigo antes de irme. «Casi me parece cruel hablarles de grandes sueños a unas personas que están en una situación tan dura».

Si alguna vez te quieres aclarar la mente acerca de lo que importa de verdad en la vida, pasa un día en un centro de rehabilitación. Saldrás inspirado, humilde y agradecido. Cada una de las ciento cincuenta mujeres con las que me encontré en *Mary Hall* resultaron ser testimonios vivientes de valentía ante posibilidades muy crueles.

Una mujer llamada Joyce, quien dijo que las drogas le habían destruido los últimos quince años de su vida, expuso la situación en blanco y negro: «Sabía que mi vida terminaría si no cambiaba».

Sin embargo, ¿grandes sueños? Estas eran mujeres que solo querían mantenerse limpias y sobrias por otro día. Que anhelaban que llegara el día en que se pudieran reunir con sus hijos. Que tenían la esperanza de que llegara el día en que su novio dejara de golpearlas. Que soñaban en tener un lugar seguro que pudieran llamar hogar. Ninguna de ellas parecía estar en el proceso hacia algo que tú o yo consideraríamos como una vida deseable.

Entonces, ¿por qué sentí que Dios me guiaba con tanta fuerza a hablarles acerca de alcanzar sus sueños? No demoré mucho en descubrirlo.

«Creo que Dios nos creó a ustedes y a mí para perseguir algún gran sueño en nuestra vida», les anuncié. «Por lo general, es algo de lo que hemos sido conscientes casi toda la vida. No es algo que planeemos. Solo está allí».

Entonces, fui directo al grano. «¿Cuántas dirían que tienen un sueño para su vida? Tal vez lo olvidaran, a lo mejor lo encerraran, pero me dirían: "Bruce, *siempre* he tenido un gran sueño de lo que quiero hacer con mi vida"».

De inmediato, se levantaron numerosas manos por todo el salón. Piensa en esto. *Mary Hall Freedom House* es un centro de reinserción social para personas que tratan de salir de una tierra de nadie con rumbo desconocido. Con todo, ¡al menos la mitad de esas mujeres sabía que tenía un gran sueño para su vida!

Esa misma reacción la he visto en el mundo entero. Pregúntales a los niños en las aldeas o las ciudades, los barrios bajos o los grandes edificios de apartamentos, y te dirán que ya saben lo que quieren ser cuando crezcan. Ya lo pueden palpar y saborear... ya se encuentran allí. Después pregúntales a los adultos del mundo entero si aún llevan un gran sueño en el corazón, y casi todos te dirán: «Eso creo... aquí dentro en algún lugar... sí».

Durante las horas siguientes con esas valientes mujeres, les presenté lo que enseña la Biblia acerca de lo que podríamos llamar el

ADN de nuestro propósito personal de la vida. Les mostré por qué nunca debían dejar de creer en sus sueños, cómo recuperarlos si los habían perdido por el camino y cómo descubrir cuál sería el próximo paso a seguir en su búsqueda.

«¿Saben? Sus grandes sueños no tienen que ver con ustedes», les dije. «Sus sueños son una parte única del gran Sueño de Dios para el mundo. Quizá sea por eso que a Él le interesen más sus sueños que a ustedes mismas. Él no las hizo solo para que tuvieran sus grandes sueños, sino para que vencieran todos los obstáculos en su camino y los vivieran en realidad».

Además, nunca es demasiado tarde para comenzar. O empezar de nuevo.

Mientras les hablaba a las mujeres, vi lágrimas de dolor y de arrepentimiento por las oportunidades perdidas. Sin embargo, también vi el regreso de la esperanza. Algunas que habían pensado que los grandes sueños no eran para ellas, comprendieron por vez primera que todo el mundo tiene uno... que una mujer que vive en un centro de reinserción social y que nunca ha creído en los grandes sueños, mucho menos los ha tratado de alcanzar, también tiene uno. Para otras, Dios les abría los lugares secretos de su corazón, donde hacía mucho tiempo escondieron lo que sabían para lo que nacieron. Comenzaron a hablar con emoción acerca de la pasión y el propósito, de una vida que les prometía mucho más que solo sobrevivir otro día.

Al finalizar el día, las lágrimas se habían convertido en risas mientras las mujeres trabajaban juntas tratando de identificar el próximo paso viable e importante que podían dar a fin de emprender de nuevo el viaje de sus sueños. Para mí fue un honor ser solo un testigo.

¿Has visto alguna vez a alguien cuando despierta a la promesa de su vida? ¿Has visto alguna vez a un hombre, agotado por años de duro trabajo y responsabilidades, redescubrir la maravilla y la increíble importancia de su pasión personal? Es como ver florecer el desierto después de la lluvia en una exhibición de colores.

Esa emoción puede ser tu parte en un milagro inolvidable, y es para lo que quiero prepararte en las páginas siguientes.

Un gran sueño es la diana

¿A qué me refiero cuando hablo de un gran sueño? Como es obvio, todos tenemos numerosos sueños durante el transcurso de nuestra vida: sueños para nuestro matrimonio, nuestros hijos, nuestra economía, y muchas cosas más. Sin embargo, cuando hablo de un gran sueño, me refiero al anhelo que te impulsa a hacer algo especial, algo que Dios puso en tu corazón cuando te creó. Lo puso allí por una razón muy importante. Sigue tu gran sueño, ¡y perseguirás con pasión lo mismo que Él quería que hicieras durante toda tu vida cuando te creó!

Déjame preguntarte, ¿cuál sería el por ciento de las personas que conoces que dirías que viven su gran sueño en realidad? ¿Diez por ciento? ¿Cincuenta? ¿Noventa? En la mayoría de los grupos a los que les hablo, incluyendo consejeros profesionales, sitúan el número en lo más bajo de la escala.

Si eso es cierto, y creo que lo es, el precio a pagar en sufrimiento personal y cultural debería ser asombroso. ¿Acaso no ayudaría esto a explicar por qué hoy tanta gente se siente atrapada en la infelicidad, la depresión, la adicción, la ira o la apatía?

La esperanza y el propósito fortalecen a la persona que persigue sus sueños. Tal vez su camino sea pedregoso, pero tiene sentido. Incluso, los desafíos le revelan un gran propósito. ¿Por qué? Porque el cuadro general de su vida, su razón por estar aquí, es claro.

Compara esto con la persona que piensa que su vida no tiene ningún propósito de importancia y carece de grandes ideas o metas. Con el tiempo, su entusiasmo se desvanece. Se desvía de su camino. Sin saber muy bien por qué, se siente olvidada por Dios. Para llenar su vacío interior, tiende a entregarse a las justificaciones, la pasividad o las decisiones que la dañan a ella misma y a otros también.

¿Te reconoces a ti mismo, o a alguien que conoces, en estos patrones de conducta?

> *A fin de cuentas, somos más felices cuando hacemos lo que Dios nos creó para hacer. Y Él nos creó para hacer su obra mediante su poder.*

A fin de cuentas, somos más felices cuando hacemos lo que Dios nos creó para hacer. Y Él nos creó para hacer su obra mediante su poder. Vivir nuestro gran sueño es la diana, el mismo centro, de cómo experimentamos el gozo y el propósito y cómo contribuimos más a nuestro mundo. La increíble promesa de ir en pos de nuestro gran sueño, junto con el precio muy real de no perseguirlo, nos lleva a la Llave de los Sueños.

La Llave de los Sueños libera un milagro del propósito de la vida para los demás. De manera divina, Dios te conecta a ti, un campeón de los sueños, con alguien que está atascado o debe saber y adoptar por completo el sueño de su vida creado por Dios. Entregas un milagro cuando Dios obra de forma sobrenatural por medio de ti a fin de ayudar a esa persona a dar un próximo paso decisivo en el viaje hacia sus sueños.

Los enviados (la Llave Maestra) que tienen el corazón de Dios por los demás (la Llave de la Gente), que saben cómo asociarse con el Espíritu de Dios para un milagro (la Llave del Espíritu) y que ejercitan su fe (la Llave del Riesgo) pueden defender el gran sueño en el corazón de otra persona. Y porque ese gran sueño de la persona es tan importante para Dios, podemos confiar en que Él intervendrá de maneras milagrosas mientras nosotros ayudamos a otros a descubrir y perseguir sus sueños.

Al igual que las otras dos llaves descritas en esta sección, las llaves del Dinero y del Perdón, la Llave de los Sueños conduce a un milagro de entrega especial. Con esto quiero decir que seguimos un conjunto especial de instrucciones de entrega. Por ejemplo:

- Aplicamos a la situación un grupo de verdades bíblicas y de medidas prácticas que sabemos que se deben aceptar para que ocurra un milagro.
- Seguimos los cinco pasos del proceso de entrega.
- Guiamos la conversación hacia un resultado previsible.

La oportunidad para nosotros como «repartidores» es motivadora en verdad. ¡Sabemos más allá de toda duda cuál es el resultado que quiere Dios! Eso significa que, una vez que entendemos nuestra parte en el milagro, podemos proseguir con confianza y centrados en el propósito de guiar a la otra persona hacia el encuentro con el milagro que necesita.

Mientras que un milagro de dinero es uno de provisión, al milagro de un sueño lo describo como un milagro de gran avance. Cuando las personas que han malentendido o desechado sus sueños captan de repente la verdad, su vida cambia de una manera fundamental. En lugar de confusión, tienen claridad de pensamiento. En lugar de apatía, sienten motivación. En lugar de estar atascadas, su vida manifiesta un fuerte movimiento de avanzada.

Las personas siempre recordarán el momento en que descubrieron todo esto junto contigo como un inolvidable regalo que vino directo de Dios.

Es posible que ayudar a otros a encontrar o reavivar el sueño de su vida sea algo que ya hagas con tus parientes y amigos. Adviertes que alguien lucha en este aspecto, así que intervienes para guiarlo y darle ánimo. Sin embargo, como pronto descubrirás, la Llave de los Sueños proporciona el entendimiento y la capacidad para ser intencional con cualquiera que te encuentres. Te ayuda a actuar invitando al Espíritu de Dios a intervenir, de modo que se produzca un milagro de gran avance.

Mientras lees este capítulo, quizá descubras que estás pensando mucho en tu propio sueño... ¡y eso es lo que debes hacer! Al fin y al cabo, nadie puede dar algo que no tiene. Si adoptas por completo el sueño de tu vida, recibirás la realización y el sentido de propósito que Dios quiere que tengas y, al mismo tiempo, recibirás poder y motivación para convertirte en defensor de los grandes sueños en la vida de los demás.

La brecha en el gran sueño de Dios

Tal vez hayas notado que con la Llave de la Gente no te tuve que convencer de que las personas necesitan ayuda. Ni con la Llave del Dinero tuve que hablarte de los tantos que pasan por limitaciones económicas. Sin embargo, con esta llave, quiero mostrarte un grupo de verdades relacionadas acerca de nuestro propósito en la vida que millones de personas pasan por alto. Cuando ocurre eso, no solo se pierden el gran sueño para cuya búsqueda nacieron, sino que dejan de creer en que hayan tenido uno alguna vez.

Ahora, mira conmigo tras el velo del cielo para descubrir dos de esas verdades: por qué todos tenemos un gran sueño, y de dónde proceden los sueños. Como vimos en los capítulos anteriores, mientras más comprendamos y aceptemos la forma en que obra el cielo, mejor entregaremos los milagros de Dios.

En Jeremías 1, podemos escuchar mientras Dios le explica a su siervo que le crearon para ser profeta:

> *La palabra del Señor vino a mí:*
> *«Antes de formarte en el vientre, ya te había elegido;*
> *antes de que nacieras, ya te había apartado;*
> *te había nombrado profeta para las naciones»*[1].

Observa la secuencia de los acontecimientos en esta fascinante oración: «Antes de formarte en el vientre, ya te había elegido». ¿Qué sucedió primero? Lo primero fue que Dios supo quién quería El que fuera Jeremías; en este caso, un «profeta para las naciones». Después, Dios lo formó en el vientre de su madre, dándole un conjunto único de puntos fuertes y puntos débiles que combinaran con el importante llamado de su vida. En otras palabras, antes que Jeremías se formara en el vientre de su madre, Dios lo imaginó y diseñó con un propósito especial. Primero, vino el propósito, después, la persona.

Así fue que dos estudiantes de doctorado crearon una nueva forma de obtener información. Larry Page y Sergey Brin comenzaron a trabajar con un propósito: hallar una mejor forma de organizar la información del mundo y hacerla accesible y útil. De aquí surgió su nuevo método para hallar y clasificar resultados en la Web.

Solo entonces crearon Google, el motor de búsqueda más conocido en el mundo actual.

Dios le revela a Jeremías que Él lo creó de una forma similar. Él tenía algo que necesitaba que se hiciera. (Podríamos decir que tenía la descripción del trabajo antes de tener el candidato). En un punto determinado de la historia, Dios supo que necesitaría un profeta exactamente como Jeremías. ¿Por qué? Un profeta como Jeremías se crearía a la medida para que cumpliera con una parte importante de la agenda de Dios para ese momento y ese lugar precisos de la historia humana.

Imagina una línea que va desde un margen de esta página hasta el otro, y a la que le falta una pequeña sección en el medio. Algo como esto:

_____[ ]_____

La línea representa el tiempo desde la eternidad pasada hasta la eternidad futura; la pequeña brecha representa la vida de Jeremías. Supongamos que toda la línea representa la historia de Dios. Él necesitaba que Jeremías fuera profeta en ese momento y ese lugar determinados de modo que se completara toda su historia.

¿Hizo Dios lo mismo cuando nos inventó a ti y a mí? Sí, lo hizo. Para cada uno de nosotros, Dios comienza con algo que necesita hacer y entonces nos crea con la voluntad y el potencial para lograrlo.

¿Cuántas personas crea Dios para lograr esa única cosa? Solo una. A ti y a mí nos crearon y nos pusieron en la tierra ahora para que realicemos nuestra parte del gran Sueño de Dios. A propósito, esto significa que todo lo relacionado con nosotros es un don de Dios, nuestros puntos fuertes exclusivos *y* nuestras debilidades manifiestas. Somos *quienes* Él nos hizo y eso se debe ajustar a *qué* nos llamaron a hacer con nuestra vida... ¡a la perfección!

El salmista describe de una forma hermosa el proceso creativo de Dios dirigido con un propósito para cada uno de nosotros:

> *No fue encubierto de ti mi cuerpo,*
> *Bien que en oculto fui formado [...]*
> *Mi embrión vieron tus ojos,*
> *Y en tu libro estaban escritas todas aquellas cosas*
> *Que fueron luego formadas,*
> *Sin faltar una de ellas[2].*

No se trata solo de una serie de pensamientos inspiradores; son verdades que cambian la vida. Declaran algo vital y opuesto a lo que proclama nuestra cultura. Considéralo:

- El mundo dice que naciste *sin* un propósito especial diseñado en tu ser. Por lo tanto, tienes que inventar tu propio sueño si quieres que tu vida tenga algún sentido.
- En cambio, la Biblia revela que nuestro sueño nos precede. Dios comienza con su sueño para ti y, luego, te forma de una manera exclusiva y amorosa para que desees ese sueño y lo cumplas para su gloria.

¡Eso sí que es una diferencia radical! Por eso te puedo decir que si una persona toma la firme decisión de perseguir un sueño para su vida, teniendo dudas acerca de su verdadero origen, es muy probable que termine siendo un cínico, desviado y estancado. Si piensa que es él, y no Dios, el que inventó su sueño, ¿por qué no lo trataría como una meta que no es más importante que cualquier otra? Bajo estrés se sentirá tentado a cambiarlo por algo más conveniente, pero mucho menos satisfactorio.

Nuestro sueño es la razón por la cual nos formó Dios. Explica quiénes somos y por qué estamos aquí.

De soñador a soñador, te insto a que te mantengas firme en estas verdades tan sencillas y asombrosas a la vez, acerca del origen y la importancia de la vida de todo ser humano:

- Dios inventó nuestro sueño, no nosotros.
- Nuestro sueño es la razón por la cual nos formó Dios. Explica quiénes somos (y quiénes no somos) y por qué estamos aquí.
- Nuestro sueño no estaba destinado a ser opcional. Es una parte indispensable del Sueño de Dios para este tiempo y lugar.
- Nuestro sueño no iba a ser solo una posibilidad remota para nosotros, sino un logro total. El plan de Dios para cada uno de nosotros es que logremos nuestro sueño.

Con estos nuevos paradigmas en mente, podemos ser intencionales en cuanto a provocar un milagro de sueño en las personas que nos encontramos, sabiendo que Dios es el que nos envió con este increíblemente liberador y motivador mensaje: *¡Tú naciste para perseguir y cumplir el gran sueño de Dios para tu vida!*

Podemos pedirle a Dios que nos guíe hacia personas que no sepan cuál es el sueño de Dios para ellas. Podemos invitar a su Espíritu para que les abra los ojos, establezca conexiones y renueve esperanzas ocultas a medida que entregamos un progreso milagroso en cuanto su razón de ser.

«Lo que siempre he querido»

Ahora estás preparado para mirar de nuevo un pasaje bíblico fundamental que citamos en el segundo capítulo:

> *Porque somos hechura suya, creados en Cristo Jesús para buenas obras, las cuales Dios preparó de antemano para que anduviésemos en ellas*[3].

En ese momento vimos que la asociación deliberada con Dios en cuanto a su agenda de milagros para nosotros es una parte importante de las buenas obras para las que nos crearon. Como quizá sospeches, existe una relación directa entre los milagros concretos que Dios quiere que entreguemos y el gran sueño que ha puesto Él en nuestro corazón.

Nuestro sueño, y toda la pasión, la energía y las capacidades que lo acompañan, es la poderosa fuerza o motor que nos impulsa hacia las buenas obras que Dios ha preparado con antelación para que las hagamos.

¿Qué sucede si nunca desatamos esa poderosa fuerza? ¿Si nunca llegamos a darnos cuenta siquiera de que existe? Bueno, no solo perdemos en cuanto a la satisfacción y significación personal, sino que hay tareas cruciales que se quedan sin hacer. Una parte del gran sueño de Dios queda en blanco. Los individuos, las familias y las comunidades pueden sufrir trágicas consecuencias.

Eso es lo que por poco le sucede a Zack. Desde su niñez había querido ser infante de marina. Solía convertir el patio de su familia en un imaginario campo de batalla, donde podía practicar sus tácticas y estrategias. Cuando llegó a la universidad, se enroló en un programa de entrenamiento para oficiales, donde sobresalió. Y todo el que conocía a Zack pensaba que era idóneo a la perfección para la tarea.

Solo había un inconveniente: Zack tiene una discapacidad visual leve, pero poco común. Cuando fue a inscribirse, supo que su problema limitaría sus opciones en una carrera militar. Eso parecía cerrarle la puerta.

«Lo vimos atravesar un tiempo difícil», recuerda su hermana, Beth. «Se sentía abandonado por Dios. Parecía perdido. Intentó otras cosas, pero nada lo motivaba tanto como su sueño de la niñez. Recuerdo el día en que le pregunté si creía que Dios lo creó para una carrera militar. Me dijo: "Sí, sin duda alguna. Es todo lo que he deseado siempre". Entonces, le dije que si Dios le dio ese deseo de toda la vida, tenía que haber una forma para perseguirlo».

Al recordársele la verdad de quién le dio su sueño fue suficiente para motivar a Zack para que lo intentara de nuevo. Llamó a un reclutador que lo recordaba del programa de entrenamiento. El reclutador lo animó a que tomara el examen médico para ver si podía pasar la prueba de la visión. Sin embargo, Zack puso reparos. Había fallado antes en pruebas parecidas.

«Lo animé a que fuera de todas formas», dice Beth. «Le dije: "Si Dios te creó para que lo sirvieras con el uniforme, Él te abrirá camino aunque no lo haya en este momento"». Y Dios le abrió el camino. Zack pasó la prueba. Ahora sirve en la infantería de marina, viviendo el sueño para el que Dios le creó. Y su hermana presenció el poder que tiene un sueño recuperado para darle forma a una vida.

Cuando salimos cada día como enviados que sabemos lo importante que es el gran sueño de toda persona, y cómo muchas personas se quedan atascadas o inseguras en este aspecto, nos situamos en un promisorio territorio de milagros. Es una parte del Territorio de Milagros Diarios por la que nuestro Creador se interesa con pasión, y podemos esperar que Él se manifieste con poder.

Saldremos como voluntarios con unas buenas nuevas excepcionales. «Tú no eres un accidente. Eres único. Tu gran sueño viene de Dios y es irreemplazable. Además, ¡te crearon para alcanzarlo y celebrarlo todos los días de tu vida!»

Permíteme mostrarte el aspecto que quizá tenga en tu vida.

El perfil de un repartidor de sueños

Una vez que alguien reclama la verdad del sueño inventado por Dios en cada corazón y aprende unas cuantas habilidades sencillas, adquiere una gran influencia ante los demás. Lo he visto muchas veces, y quizá tú también. Con un poco de práctica, serás capaz de reconocer una necesidad en esta esfera y hablar al respecto con autoridad y perspicacia.

Mi amigo Joe es así. Creció en una familia misionera donde perseguir el sueño era algo muy importante. Joe cuenta que su padre le solía decir: «Hijo, tú puedes cultivar manzanos o volar aviones. Si naciste para hacerlo, esa es la labor del Señor para ti. ¡Y te aseguro que en la obra del Señor no existe el desempleo!».

En estos días, el hogar de Joe es un lugar favorito donde acuden los estudiantes universitarios para pasar el rato. Por alguna razón, se sienten cómodos poniendo en orden sus esperanzas y sus sueños mientras conversan con él. Creo que esto se debe a que Joe se ha convertido en un campeón de los sueños. Ayuda a los demás a que vean que su vida siempre ha debido significar... ¡mucho!

Una de las metas de este capítulo es prepararte para que seas otro Joe u otra Beth, un enviado que sabe que todos nacemos con un sueño de Dios para nuestra vida y que está listo para ayudarlos a hacerlo realidad.

No te preocupes... ser un «repartidor» de sueños para Dios *no* es lo mismo que ser un orientador vocacional. Los necesitamos también. Sin embargo, lo que buscamos aquí es prepararte para entregar milagros de dirección y propósito en muchas vidas a través de conversaciones dirigidas por Dios. Esa dimensión milagrosa, donde Dios se manifiesta por medio de nosotros para el beneficio de otros y para su propia gloria, es la que lo cambia todo.

Uno de mis ejemplos favoritos de esta clase de conversaciones dirigidas por Dios se encuentra en la historia bíblica del encuentro de Abigail con David, el futuro rey de Israel. La vemos primero a Abigail en un tiempo de desaliento en la vida de David. Este está a punto de cometer un asesinato, y al hombre que planea matar es el esposo de Abigail. Solo imagínate cómo ese único acto podría haber desviado tan en serio el sueño que Dios puso en el corazón de David.

Junto con el resto de Israel, Abigail sabe que Dios ya escogió a David para que fuera su rey. Debido a que ella sabía cuál era el sueño de Dios para David, corre un inmenso riesgo de fe y sale a interceptar a David antes que pueda llevar a cabo sus planes. Cuando se encuentran, ella le trae una generosa provisión de alimentos y algo más valioso aun: un recordatorio oportuno de su destino.

Encontrarás su dramático discurso en 1 Samuel 25, pero una paráfrasis sería algo así: «David, Dios no te ha olvidado. Te convertirás en rey como Él te lo prometió. Mientras tanto, no hagas algo tonto como vengarte de mi esposo. Eso solo serviría para poner en peligro lo importante de verdad: el asombroso sueño de Dios para tu vida».

La respuesta que le da David es muy reveladora. Reconoce de inmediato que es Dios el que la envió. Le dice:

> *Bendito sea Jehová Dios de Israel, que te envió para que hoy me encontrases. Y bendito sea tu razonamiento, y bendita tú, que me has estorbado hoy de ir a derramar sangre, y a vengarme por mi propia mano*[4].

Si le hubieras preguntado a David: «¿Se acaba de producir algún milagro aquí?», te hubiera dicho: «¡Por supuesto!». Sabía que Dios intervino, que aquel milagro le llegó directo de Dios. Antes de que apareciera Abigail, estaba completamente decidido a ir por el mal camino. Entonces, como caída del cielo, se le presenta una desconocida y le entrega un mensaje que pone toda su vida en la debida perspectiva. Eso lo cambió todo. Su ira desapareció. En su lugar, aparecieron la gratitud, la aceptación y una nueva esperanza para su futuro. ¿Qué hizo Abigail? En realidad, solo hizo una cosa. Le recordó el gran sueño de Dios para su vida cuando estaba a punto de perderlo de vista.

Te destaco la historia de Abigail, porque en tu nueva vida dedicada a invitar a Dios a manifestarse de maneras milagrosas, te han llamado a hacer lo mismo... y puedes hacerlo.

¿Te preguntas cómo fue que Abigail supo lo que debía decir? Por ejemplo, ¿sacó un discurso escrito que llevaba en una de sus alforjas? No lo creo. Pienso que invitó la aparición de un milagro, abrió la boca y confió en que el Espíritu de Dios la llenara. Es evidente que David reconoció que cada palabra venía directa de Dios.

De igual manera, nosotros no tenemos por qué sentirnos tensos como personas enviadas. Una vez que le pedimos a Dios que nos envíe, y nos interese ser defensores del gran sueño de Dios para otras personas, Él hará que se nos crucen en el camino esas personas que sabe que podemos ayudar. Cuando nos alineamos con lo que Dios quiere hacer, Él nos ayudará. Nos pondrá delante encuentros divinos y se manifestará para entregar un milagro por medio de nosotros.

Cómo se entrega un sueño

Veamos cómo se aplica el proceso de entrega en cinco pasos a esta nueva llave de milagros. Como es de esperar, serás capaz de aplicar mucho de lo que aprendiste en la Llave del Dinero a esta también.

Primer paso: Identifica a la persona. Quizá necesites un impulso de Dios o que te alerten las circunstancias (como cuando Abigail se dio cuenta de que David estaba a punto de poner en peligro su sueño). Sin embargo, lo más probable es que tengas que apoyarte en pistas y sacudidas para hallar a la persona que Dios quiere que ayudes.

Si es una pista, alguien dirá o hará algo que te alertará ante el hecho de que está batallando. Tal vez captes un sentimiento de descontento, frustración o depresión asociado a la forma en que se desarrolla su vida. O es posible que notes una actitud de apatía o cinismo. Esas pistas quizá se expresen en expresiones que pasaras por alto antes:

- «Mi vida no va a ninguna parte. Esto no es lo que me imaginaba para mí».
- «Lo que siempre quería hacer era...».
- «Este trabajo es un infiero. No puedo creer que me estancara aquí».

Puesto que casi siempre las personas no atribuyen sus sentimientos negativos al hecho de no vivir su gran sueño, necesitarás ayudarlas para que establezcan la conexión. Mi sacudida favorita de aclaración en el contexto de un sueño es esta: «¿Vives tu sueño o te sientes un poco atascado?».

Es informal, amistosa y positiva, y va directa a una gran cuestión: la mayoría de la gente piensa que su gran sueño la espera en algún lugar, y todo lo que tiene es la esperanza de que se le acerque. Aquí es donde entras tú. Sabes que su sueño está más cerca de ellos que su propia piel.

¿No te parece extraño en la historia del encuentro entre Abigail y David que una desconocida pudiera influir tanto en el sueño de otra persona? Lo que he aprendido es que las personas que no conocemos, muchas veces *influyen más* en este aspecto que las conocidas. Una de las razones es que los más cercanos a nosotros no pueden ver a menudo más allá de los límites de nuestra experiencia actual mejor que nosotros mismos. Te digo esto para animarte a que estés dispuesto para ayudar a alguien en cualquier momento, a fin de que se experimente un sueño de gran avance.

Segundo paso: Aísla la necesidad. Según mi experiencia, la inmensa mayoría de las personas que encontramos caen en una de estas dos categorías. O bien no creen que tienen un sueño o se sienten impedidos para seguirlo, casi siempre por temor. Y tú puedes ayudar a estas clases de personas.

Para el que no cree tener un sueño, ahora tienes muchas verdades que te ayudarán a elaborar tus preguntas. Hazlas de manera informal. No subas tu tono de voz, y que tus declaraciones sean personales y del corazón. Podrías comenzar diciendo: «¿Sabes una cosa? Todos teníamos un gran sueño cuando éramos jóvenes. ¿Cuál era el tuyo?». O bien, trae la conversación al presente: «Si tuvieras todo el dinero y toda la libertad que necesitaras para realizar tu gran sueño, ¿cómo sería ese gran sueño?».

Tal vez te des cuenta de que la otra persona metió su sueño a la fuerza en un armario hace mucho tiempo. O que nunca ha comprendido lo importante que es perseguir un sueño dado por Dios. Con tu ayuda y la del Espíritu de Dios, esa persona puede descubrir lo que quiere Dios... así como lo que ella quiere también.

Pregúntales a los que conocen su sueño, pero se sienten atascados, que describan ese sueño. Descubrirás que muchos le temen a lo que quizá piensen los demás o hasta al sueño mismo. Algunos nunca le han abierto su corazón a nadie con respecto a este asunto. Por eso, la revelación de un sueño a una persona receptiva, que no los va a criticar, puede ser un poderoso paso al frente. Mientras habla la persona, pídele a Dios que te muestre lo que la tiene retenida.

Lo cierto es que todo sueño que viene de Dios *es* demasiado grande y demasiado difícil. Es por eso que Él nos da una vida entera para realizarlo con su ayuda. Así que el hecho mismo de que la persona con la que hablas sienta miedo confirma que vas por buen camino. Al fin y al cabo, no tenemos que luchar con ese tipo de temores cuando nos mantenemos en la misma rutina de siempre o cuando nos decidimos a hacer lo que todos esperan de nosotros.

Los temores que cada uno enfrenta en la búsqueda de un sueño tienden a caer dentro de dos categorías fáciles de recordar:

- El temor al fracaso. El sueño parece demasiado grande o sentimos que no reunimos las cualidades necesarias para realizarlo.
- El temor al rechazo. Al sueño se oponen unas personas cuyas opiniones valoramos en gran medida.

En mi libro *El Dador de sueños*, consideré estos temores de la Zona de Comodidad y de los Intimidantes en el Área Fronteriza. Ahora bien, lo que es más importante hacer cuando tratas de aislar la necesidad es ayudar a la otra persona a expresar sus temores con sus propias palabras. Le podrías preguntar: «Si tuvieras que describir el mayor obstáculo a la realización de tu sueño, ¿qué dirías?». Descubrirás que solo con ayudar a la persona a dar en el blanco de su temor basta muchas veces para encenderle las luces del entendimiento. Deja que Dios guíe tu conversación. Ahora que conoces la verdad acerca de los grandes sueños, estás en el lugar adecuado para pedir un gran avance en su nombre mediante el poder y la sabiduría de Dios.

Una vez expresados los temores, estarás listo para el próximo paso. Recuerda, aislar un problema no es lo mismo que resolverlo. Tú no eres un solucionador de problemas, ni un consejero de la vida. Eres un sembrador de semillas de verdad. Eres un defensor de sueños enviados por el cielo.

Tercer paso: Abre el corazón. A estas alturas, sabrás si la persona está dispuesta a pensar en su sueño de una nueva manera. Cuando pienso en lo que es abrir un corazón en el contexto de entregar un milagro de sueño, me imagino una sola brasa encendida en una chimenea o en una fogata de campamento. Mi tarea es encontrar esa brasa, después arrodillarme apoyado con las manos en el suelo y, con suavidad y persistencia, soplar hasta que estalle en llamas.

La brasa es el gran sueño de esa persona; tu tarea es reavivar su anhelo por el sueño. He aquí algunas sugerencias tomadas de mi experiencia sobre cómo hacer esto con las personas que encontremos.

Asegúrales que Dios tiene un sueño para ellas: «Si le pides a Dios que te ayude a conocer cuál es tu sueño y el gran propósito para tu vida, Él te ayudará a encontrarlo».

Pídele que describa su sueño y cómo será su vida cuando lo esté viviendo. Luego, pídele que describa lo que está haciendo ahora. La comparación incrementará su deseo por el sueño. Quizá podrías decir: «He descubierto que si no persigo mi sueño, mi vida no tiene mucho sentido».

Ayúdalo a ver lo importante que es su sueño para Dios, y afírmale lo valioso que es para él. (Eso fue lo que hizo Abigail por David). Tal vez se sienta avergonzado por su sueño. Es muy probable que las personas que lo rodean lo desecharan porque parece poco práctico o imposible. Así que podrías decir: «Puedo verte haciendo eso y disfrutándolo de verdad. Además, vas a triunfar».

Afírmale su capacidad de vivir su sueño: «Dios no te habría creado para un sueño imposible de realizar. No es posible realizarlo todo de un golpe, pero si te sigues moviendo por el buen camino, *lo verás* realizado. Solo necesitas dar el próximo paso».

Pídele que vaya con su imaginación hasta el final de su vida y que después mire al pasado: «¿Qué te haría feliz de verdad por lo que lograste en tu vida?». O bien: «¿Qué crees que Dios te diría si te has pasado toda una vida esforzándote de verdad por convertir en realidad el sueño que Él te dio?». O esto: «¿Cómo te sentirías si llegaras al final de tu vida y descubrieras que no hiciste lo que Dios quería que hicieras cuando te creó?».

Para animarlo, pídele que te hable de algún momento del pasado cuando Dios fue fiel y bueno con él. ¿Qué sugiere esto que puede esperar de Dios en el futuro?

Desafíalo con la verdad: «¿Dirías, entonces, que Dios espera que persigas tu sueño?». Si te dice que sí, pregúntale: «¿Cuál podría ser el próximo paso para volverte a poner en el buen camino hacia ese sueño?».

Recuerda que nosotros nunca le hablamos al corazón de otra persona desde nuestra mente. En su lugar, conectamos nuestro corazón con el suyo. Las personas tienen muchos anhelos relacionados con sus sueños, y si no los persiguen, sienten mucho dolor y pesar. Como embajador del cielo, puedes ayudarlas a ver la pasión de Dios por su sueño.

Si quieres ver manifestado lo que hay en el corazón de Dios en este asunto del sueño de una vida, lee la segunda carta de Pablo al joven pastor Timoteo. Le escribe acerca de su llamado a ser ministro, pero los sentimientos y los valores se ajustan de forma directa a cualquier sueño de la vida. Encontrarás palabras cargadas de emoción, destinadas a reavivar el sueño, como «Te aconsejo que avives el fuego del don de Dios que está en ti», y «No nos ha dado Dios espíritu de cobardía, sino de poder, de amor y de dominio propio»[5].

> *Cuando una persona se siente atascada, su sueño le parecerá pequeño, mientras que sus temores parecerán abrumadores.*

Pablo sabía que, como no podemos hacer que desaparezca el temor de una persona, lo mejor es que alimentemos su anhelo por el sueño hasta que llegue a ser más fuerte que su temor. Cuando una persona se siente atascada, su sueño le parecerá pequeño, mientras que sus temores parecerán abrumadores. Nuestra labor consiste en prenderle fuego a su bosque con el anhelo por su sueño. Y mientras hacemos nuestra parte, Dios estará obrando en el interior de la persona, haciendo lo que solo puede hacer Él.

Cuarto paso: Entrega el milagro. Tu compromiso previo de asociarte de manera activa con el Espíritu y ejercitar tu fe dependiendo de Dios es lo que te prepara para triunfar en este paso. Tu parte en un milagro es preparar a la persona para la obra de Dios; la parte de Dios es hacer el milagro. Además, ¡recuerda lo mucho que le interesa a Dios el sueño que Él puso en el corazón de cada persona! Mientras animas e informas a la persona, su Espíritu estará obrando en ella de diversas maneras. Tomará las semillas de verdad que le estás entregando y obrará en su interior para producir un cambio. Sin un cambio en las creencias, la conducta no puede cambiar. La intervención de Dios aquí es la diferencia entre lo que dices que es útil y el gran avance que es milagroso.

Vemos cómo intervino Dios en las historias de las vidas de Zack y David, y las mujeres de la *Mary Hall Freedom House.* Piensa en la motivación que tuvo Dios para manifestarse en ese momento: tomar una semilla de aliento y cubrirla con su Espíritu a fin de que se convirtiera en llama en sus corazones y los motivara durante años.

Eso es lo que hacemos nosotros. Y eso es lo que hace Dios. Confía en que Él va a hacer lo que no puedes hacer tú.

¿Qué aspecto tiene un milagro acerca de un sueño? Siempre te remontarás a un cambio de creencias, un cambio de paradigmas, que trae como resultado que la persona reafirme su sueño y actúe de acuerdo a él de una manera que antes le era imposible. Por ejemplo:

- La persona cree por vez primera que Dios tiene un propósito grande y especial para su vida y que es preciosa e invaluable.
- La persona comprende por vez primera qué aspecto podría tener su sueño.
- La persona tiene una revelación acerca de lo que le impide que comience su sueño.
- La persona comprende por vez primera por qué se ha sentido atascada en la búsqueda de su sueño, y decide pasar por encima, o atravesar, ese obstáculo.
- La persona que ha abandonado o escondido su sueño, lo saca del armario, le quita el polvo y sigue adelante viviendo ese sueño.

Un milagro se produce cuando el Espíritu se mueve en un corazón. Esto no significa que nuestros pensamientos no intervengan; solo significa que, al final, el milagro se produce en nuestro corazón y se manifiesta en nuestra conducta. Lo sabrás cuando se produzca. A la persona le cambiará el rostro. Es muy posible que se sienta muy emocionada, porque los sueños suelen desbordarnos con emociones y anhelos. Parecerá perdida en medio de sus pensamientos. Con lo que diga a continuación, sabrás que Dios ha hecho lo que le correspondía hacer.

No dejes la conversación sin guiar a la persona para que le entregue de nuevo a Dios la terminación de su sueño. Tal vez le podrías decir: «Dios te ama mucho y creo que Él permitió que nos encontráramos. En estos momentos, es posible que su sueño te parezca imposible, pero si sigues caminando hacia él, Dios te va a ayudar. Él te creó para que pudieras realizar tu sueño. ¿Te quieres comprometer ahora mismo a hacerlo, cueste lo que cueste?».

Quinto paso: Transfiere el crédito. Aquí es donde te aseguras que la atención va hacia la persona adecuada. El final que estás buscando es lo que exclamó David después de escuchar a Abigail: «Bendito sea Jehová Dios de Israel, que te envió para que hoy me encontrases».

A fin de dirigir a la persona hacia el cielo, dile algo como esto:

- «¿Sientes que Dios ha estado involucrado en nuestra conversación de hoy?»
- «¡Creo que Dios está dispuesto a hacer algo contigo y con tu sueño!»
- «No me queda la menor duda: Dios está en verdad detrás del sueño. Él lo plantó en tu corazón. Estará contigo mientras lo logras con su poder».

Más milagros para el camino

Mi esperanza para ti es que, con cada paso a lo largo del camino de tu vida, atesores y cumplas cada vez más tu sueño, que le pidas a Dios que te use de una forma milagrosa para guiar a otros a hacer lo mismo. Quiera Dios que seas como Pablo, el cual, aun en los últimos años de su vida, seguía persiguiendo con todas sus fuerzas el sueño de Dios para su vida. En su última carta escribió:

> *Prosigo, por ver si logro asir aquello para lo cual fui también asido por Cristo Jesús [...] Una cosa hago: olvidando ciertamente lo que queda atrás, y extendiéndome a lo que está delante, prosigo a la meta, al premio del supremo llamamiento de Dios en Cristo Jesús*[6].

Esta es la liberadora noticia que les entregamos a otros soñadores que Dios trae a nuestro camino: «Tu sueño es importante, para ti y para Dios. Si descubres lo que te ha desviado, comienza de nuevo. Nunca es demasiado tarde para llevar a cabo tu destino. ¡Dios sigue deseando que tu sueño se haga realidad!

Prepárate cada día para provocar un milagro en la vida de otro compañero de viaje. Ahora que sabes convertirte en defensor de los sueños que hay en la vida de otras personas, tengo la plena seguridad de que Dios va a hacer que te encuentres muy pronto con un soñador necesitado de un milagro.

Esta es la liberadora noticia que les entregamos a otros soñadores que Dios trae a nuestro camino: «Tu sueño es importante, para ti y para Dios».

12

La llave del perdón

Tú naciste para entregar milagros de perdón

¿*Qué tal si cada mañana* salieras por la puerta sabiendo que llevas contigo la llave de un milagro que podría liberar a alguien de la prisión?

Por dramático que te parezca, es la promesa de este capítulo. No puedo pensar en ningún lugar del Territorio de Milagros Diarios con más promesas para el cambio personal inmediato que del que hablaremos en este capítulo. Una de las razones por las que el potencial es tan grande es que tú y yo estamos rodeados por personas sinceras y respetuosas de la ley que *están* presas sin saberlo siquiera.

Era el día de Navidad, y Darlene, Jessica y yo fuimos a entregar comidas para una misión local en uno de los barrios pobres, pidiéndole a Dios que nos enviara a la gente escogida por Él. Nuestra primera entrega fue para una familia de siete personas. Encontramos la casa al final de un largo camino de gravilla, rodeada de trastos viejos y automóviles rotos.

La madre y una hija adulta salieron a recibirnos. En cuanto la madre vio las siete comidas que les llevamos, exclamó:

—¡Qué alegría nos da que ustedes hayan venido! Estábamos orando para que viniera alguien.

Nos dijo que su esposo se había quedado sin trabajo y que estaba enfermo en cama. «No tenemos ni comida ni dinero en la casa».

¿Sin comida en Navidad? A ninguno de nosotros le pasó inadvertida esa pista.

Un impulso. *Esta es la familia...*

Nos invitó a conocer al resto de su familia. Se llamaba Mary Ann y su hija Tess. Mientras Mary Ann nos iba presentando a los demás, comenzó a llorar.

—¿Le sucede algo? —le preguntó Darlene. Por alguna razón, esperábamos que lo que le llevamos produjera más gozo que lágrimas.

—¡Mi bebé se me ahogó en la piscina de la casa que está detrás de la nuestra! —le respondió.

Apenas podíamos creer lo que escuchábamos. Al instante, sentimos que el corazón se nos destrozaba ante su dolor.

—Lo siento muchísimo —le dijo Darlene—. No puedo imaginarme siquiera lo que usted debe estar sintiendo.

En eso, Tess comenzó a llorar también. Les preguntamos cómo sucedió aquello. La mamá nos dijo que se fue a trabajar por la tarde, aun cuando sintió fuertemente que se debía quedar en casa. Sin embargo, su esposo le insistió que necesitaban el dinero. Mientras trabajaba, su plan para el cuidado de los niños en la casa se vino abajo. El hijo mayor se quedó en su cuarto, preocupado con su música. Luego, la niñera se quedó dormida en el sofá. Como no había nadie que estuviera al tanto de ellos, los dos niños menores salieron fuera y entraron al patio del vecino. Cuando se dieron cuenta de su ausencia, ya la menor se había ahogado en la piscina del vecino.

—¡Mi bebé se me ahogó! —decía Mary Ann entre sollozos—. ¡Solo tenía dos años!

A esta altura, Darlene tenía abrazada a la mamá y mi hija y yo orábamos para que Dios nos mostrara cómo podríamos llevar sanidad a una Navidad tan devastadora.

Y entonces fue cuando la conversación dio un giro inesperado.

—¿Cuándo sucedió esto? —preguntó uno de nosotros.

—Hace dieciocho años —nos dijo Tess mientras nos miraba a través de sus lágrimas.

Nos quedamos petrificados. Hasta ese momento, dábamos por sentado que el accidente era reciente, quizá unos días atrás. Es más, eso era lo que sentía Mary Ann. Tanto ella como su familia habían estado cargando durante dieciocho años con un dolor que no habían podido resolver.

—A decir verdad, ustedes han pasado por muchas cosas difíciles, ¿no es cierto? —le dije en voz baja a Mary Ann—. Estamos aquí para ayudarlos. ¿Le sería de utilidad que conversáramos por un rato?

Durante los diez minutos siguientes, escuchamos un relato repleto de tragedias casi increíbles. En los años posteriores al accidente, Mary Ann había culpado a la niñera, a su hijo mayor, a Dios por no haber intervenido, a su esposo por presionarla para que fuera a trabajar ese día y, en especial, se había culpado a sí misma. Toda esa culpa y amargura les habían envenenado la vida. Su matrimonio se había comenzado a desintegrar. Su hijo se había vuelto alcohólico. Las autoridades le habían quitado a Tess, poco tiempo atrás, la custodia legal de su hijo. La madre se seguía castigando sin cesar por lo sucedido, pero eso tampoco había servido de ayuda.

—Toda su familia ha sufrido profundamente, ¿no es cierto? —le dije.

—No hemos vuelto a ser lo que éramos antes de ese día —respondió Tess—. Mi madre acostumbraba reír y sonreír. Sin embargo, ya no lo hace nunca. No lo ha hecho en dieciocho años.

Me volví a Mary Ann.

—¿Diría usted que su vida ha sido un tormento desde entonces?

—Sí, creo que sí lo ha sido —me dijo mientras se enjugaba las lágrimas.

—¿Le agradaría que lo dejara de ser?

—Pues sí —me dijo—. ¿Pero cómo podría suceder algo así? ¡No la podemos volver a la vida!

—Tal vez sea por eso por lo que Dios nos envió aquí hoy —le dije—. No solo para entregarles estas comidas, sino para traerles un milagro mucho mayor. Dios está listo para liberarla... por completo, ¡aquí mismo en su cocina en el día de Navidad!

Y eso fue lo que sucedió con exactitud. Fui guiando con delicadeza a Mary Ann a través de los pasos del perdón que tú y yo veremos juntos en este capítulo. Ella tenía muchas cosas del pasado que tenía que limpiar: amarguras, iras, odio a sí misma, deseos de venganza. Aun así, dio cada paso. Y Tess hizo lo mismo. Cuando partimos, la madre y la hija estaban libres por vez primera en dieciocho años.

¿Es posible en realidad que un corazón herido sin tratar pueda causar tanta devastación en una vida y en la vida de toda una familia? ¿Es posible que Dios valore en gran medida un acto tan sencillo como el perdón que libere milagros cuando se produce? ¿Y puede que su método principal para entregar este maravilloso milagro sea por medio de siervos dispuestos como tú y yo?

En este capítulo encontrarás una llave de milagros que tiene un poder casi ilimitado para hacer el bien en nuestro mundo. Al igual que las otras dos Llaves de Entrega Especial, exige una comprensión más profunda de varias verdades bíblicas importantes.

Me refiero a la Llave del Perdón.

La Llave del Perdón desata un milagro de libertad en favor de los que sufren como resultado de la falta de perdón. Cuando Dios te conecta con una persona necesitada, utilizas poderosos conceptos bíblicos y principios universales a fin de guiar a esa persona hacia su sanidad. Como te asocias con el Espíritu, Dios obra por medio de ti para producir un milagro de perdón.

En las páginas siguientes, te mostraré por qué las creencias erróneas acerca del perdón mantienen a tantas personas estancadas en la falta de perdón. Te mostraré cómo ve el cielo esas creencias erróneas y cuáles son las creencias ciertas que Dios usa para dar libertad. Identificarás los pasos sencillos que necesita dar todo prisionero para liberarse, y aprenderás cuál es tu parte en la entrega del milagro.

A menudo escucho que, después del milagro de la vida eterna, el milagro del perdón es la experiencia más poderosa y valiosa que puede tener una persona.

Por qué el perdón puede salvar una vida

Si viviéramos en un mundo perfecto, nadie necesitaría perdonar. Nadie le haría daño a otra persona. No sería víctima de abuso ni de trato injusto. Nadie pecaría.

Sin embargo, no vivimos en ese mundo. Vivimos en un mundo donde, a pesar de nuestros mejores esfuerzos, herimos incluso a las personas que amamos. Herimos a otros de manera accidental y algunas veces intencional. Y los demás hacen lo mismo con nosotros. Esto sucede entre las personas, las razas y las naciones. Observa las noticias; las heridas se han venido acumulando durante siglos.

Por eso el perdón es una experiencia tan importante para todos nosotros. Sin él, nos podríamos ahogar en un océano de remordimientos, angustias, ira y amargura.

No obstante, hay una trampa: el perdón es una de las reacciones *menos* naturales de toda la naturaleza humana. Piénsalo. Ya es bastante difícil dar de manera desinteresada, ¿pero perdonar? ¡Sería como desperdiciar nuestro mejor regalo de toda la vida en la persona que nos acaba de robar!

¿Por qué habría de perdonar una madre al conductor ebrio que le mató a su hijo? ¿O un esposo perdonar a su esposa que haya tenido una aventura amorosa con su mejor amigo? ¿O una adolescente perdonar al padre que la abandonó cuando era bebé y que desde entonces nunca se ha esforzado por verla? ¿O un hombre de negocios perdonar al socio que le pidió una confianza total para después traicionarlo? En esos momentos, todo en nosotros clama por justicia, venganza, equidad... *no* el perdón.

Necesitamos preguntarnos, sin embargo, ¿qué sucede cuando no perdonamos? ¿Qué le pasa a esa herida?

Imagínatelo de esta forma: Vas caminando por la orilla de la playa cuando pisas un vidrio roto. ¡Ay! Vuelves cojeando hasta donde tienes tu toalla y tratas de no volver a pensar en la herida. Más tarde cojeas tras una pelota de fútbol. Al día siguiente, caminas

Cuando no perdonamos, es como si decidiéramos dejar la suciedad en una herida. No puede ocurrir la sanidad.

descalzo por tu huerto. De seguro que te duele la herida. Entonces, ¿acaso no sanará con el tiempo? Decides no hacerle caso al dolor.

Lo sigues pasando por alto. La herida se te infecta y tu pie se hincha. Se te dificulta caminar, pero sigues tratando de no pensar en el problema. La infección se extiende. Te empieza a dar fiebre...

Ya tienes el cuadro. Si te cuidas la herida, le quitas la suciedad y la proteges de los gérmenes, se te sanará el pie. Sin importar cómo se produjera la herida, Dios hizo tu cuerpo para que se sanara a sí mismo. Con todo, si dejas la herida sin limpiar ni tratar, surge una infección. Se bloquea el proceso de curación.

Dios hizo nuestro corazón de la misma forma. Cuando perdonamos después que nos hieren, limpiaremos esa herida y puede comenzar el proceso de sanidad. Cuando no perdonamos, es como si decidiéramos dejar la suciedad en una herida. No puede ocurrir la sanidad, por mucho que tratemos de no pensar en lo sucedido y por mucho tiempo que pase. En realidad, mientras más pase el tiempo, más se propagan las consecuencias destructivas.

Le llamo a esto la Espiral de la Falta de Perdón... ese camino descendente hacia una aflicción cada vez mayor que se produce cuando se dejan sin tratar las heridas en el corazón de la persona. El primer nivel de dolor es la amargura, la cual conduce de forma inevitable al resentimiento. Los resentimientos no resueltos llevan a la ira. La ira se profundiza en rencor y, luego, en odio. Al final, la venganza consume a la persona. Las personas vengativas viven con un abrumador deseo, no solo de ver que se les haga justicia, sino también de hacerles daño a los que les hicieron daño a ellas.

Una vez que aprendas a reconocer las pistas, te darás cuenta de que los síntomas de la falta de perdón están por todas partes en nuestro mundo. Muchas veces, sus señales se encuentran a flor de piel. Un hombre que despidieron de manera injusta de su trabajo hace meses, regresa a su centro de trabajo cargando un rifle. O una familia como la de Mary Ann sufre durante años a causa de su ira y sus decisiones dañinas.

Sin embargo, a veces la evidencia se pasa por alto o se interpreta mal.

Recuerdo a un confundido joven que vino a verme en busca de consejo. Me dijo que era como si no pudiera terminar nada de lo que comenzaba.

—He comenzado y abandonado tantas universidades que ya he perdido la cuenta. Haga lo que haga, no puedo tomar el control de mi vida —dijo y me describió sus diversos intentos por hallar una dirección—. Pensé que tal vez usted pudiera ayudarme.

En realidad, pensé que podría. Le pregunté:

—Dime una cosa. ¿Cómo te ha herido tu papá?

—¿Mi papá?

Pensó que estaba cambiando de tema, pero pronto comenzó a contarme una dolorosa historia.

—Nunca he podido estar a la altura de las expectativas de mi papá. ¡Es un perfeccionista! —me dijo—. Sé que quiere lo mejor para mí, pero ni una sola vez he sentido su aprobación. Por mucho que lo que intentara, siempre me decía que me esforzara más. Nada de lo que hiciera era lo bastante bueno. Desde que me marché de la casa, me ha sido más fácil evitarlo.

Lo ayudé a ver que evitar el problema no era lo que mejoraría su situación. Le describí la imagen de la herida sin tratamiento.

—¿Dirías que tu padre te ha herido? —le pregunté.

—Sí, muchísimo —me dijo.

Su cara y postura cambiaban. Me daba cuenta de que estaba sintiendo de una manera muy profunda todos esos años de desilusión y rechazo.

—¿Siguen allí esas heridas infectadas todavía?

—Sí.

Hablamos de lo mucho que necesita un niño varón el reconocimiento de su padre durante su crecimiento. A un hombre joven que ha sido herido por un padre que lo ha rechazado y criticado, las decisiones le resultan difíciles. Desaparece la motivación. Ya no puede ver quién es, ni a dónde quiere ir.

—Puedes empezar a deshacer el daño ahora mismo —le dije—. Sin embargo, para hacer eso, tienes que perdonar a tu papá. No hay otra manera. ¿Estás listo para hacerlo?

Tenía los ojos llenos de lágrimas, pero estaba listo. Tomando una a una las heridas, lo ayudé a perdonar.

—Ante Dios, le aseguro que he perdonado a mi padre por completo —me pudo decir al final.

Ya era un hombre libre.

—Ahora, ¿me puede ayudar con mi futuro? —me preguntó con una sonrisa.

—Acabo de hacerlo —le respondí. Le di mi dirección—. Si quieres, dentro de unos meses envíame una nota. Dime cómo te va.

Unos pocos meses más tarde, me escribió: «Mi inseguridad y mi indecisión del pasado desaparecieron por completo. Es como si se me hubiera metido en la cabeza algo que barriera todas esas cosas tan malas». Se había reconciliado con su papá y se sentía entusiasmado con respecto a su futuro.

Espero que estés viendo el poder de gran alcance del perdón para recuperar nuestras vidas de las heridas del pasado.

Con una necesidad tan grande de perdón en nuestro mundo, ¿cuán importante crees que sea para Dios el perdón? Con el fin de ayudarte a descubrirlo, quiero descorrer de nuevo el velo del cielo y mostrarte el punto de vista de Dios en el asunto.

Creo que te asombrarás.

¿Qué importancia tiene el perdón para Dios?

El Padrenuestro nos modela cómo debemos acercarnos a nuestro Padre celestial. En su oración, Jesús revela varias cosas que podemos pedirle a Dios que haga: que nos conceda provisión, protección y liberación, por ejemplo. Sin embargo, también encontrarás algo, una sola cosa, que nos toca hacer *a nosotros*.

Perdonar.

Y perdónanos nuestras deudas, como también nosotros perdonamos a nuestros deudores[1].

Jesús les dice a sus seguidores que cuando oren, en medio de todas sus alabanzas y peticiones, asegúrense de decirle al Padre esta única cosa: que están haciendo lo que hace Él. Están perdonando a los que son sus deudores y no merecen su perdón.

En caso de que sus oyentes no se dieran cuenta, Jesús hizo un solo comentario después de esta oración, y se trata del perdón:

Porque si perdonáis a los hombres sus ofensas, os perdonará también a vosotros vuestro Padre celestial; mas si no perdonáis a los hombres sus ofensas, tampoco vuestro Padre os perdonará vuestras ofensas[2].

Ahora bien, Jesús no puede referirse aquí a lo que los teólogos llaman «el perdón de salvación». (Ese perdón se produce en el cielo y no se puede ganar. Es un don de Dios para todos los que creen en Jesucristo y en su obra en la cruz como el pago total por los pecados). En lugar de esto, se refiere al fluir del perdón de Dios en nuestra vida en la tierra.

Está claro que el riesgo es grande o Jesús no habría dicho esas palabras acerca del perdón. Si perdono, Dios me perdonará. Si no lo hago, Jesús dice: «Tampoco vuestro Padre os perdonará vuestras ofensas». No deja lugar alguno para confusiones.

Por esa razón, comprendo que Pedro tratara más tarde de hacer que Jesús lo limitara todo a algo un poco más práctico. Preguntó:

Señor, ¿cuántas veces perdonaré a mi hermano que peque contra mí? ¿Hasta siete?[3]

Pedro debe haber pensado que era generoso. Mi hermano me roba, y me vuelve a robar, y otra vez, y otra vez más. ¿Qué te parecen siete veces, Jesús? ¿Acaso eso no sería suficiente? ¿Acaso perdonarlo más allá de esas siete veces no se convertiría en un terrible error?

Sin embargo, lo que Jesús dijo, en realidad, fue: «No, Pedro. Perdónalo sin ponerle límites».

No te digo hasta siete, sino aun hasta setenta veces siete[4].

¿Cómo es posible que nosotros perdonemos a alguien setenta veces siete, o lo que quiere decir en realidad, un número ilimitado de veces? La respuesta de Jesús revela la única motivación más poderosa para perdonar de todas las que hallarás cuando les entregues milagros a los que están encerrados tras las rejas de una prisión de falta de perdón. Por eso Jesús habla de ella: ¡para darle a Pedro la comprensión necesaria a fin de que pueda perdonar de verdad a otra persona setenta veces siete!

Se trata de la historia de un siervo que contrae una inmensa y desesperanzadora deuda con su rey. A fin de recuperar sus pérdidas, el rey decide que tiene que vender como esclavo al siervo, junto con su esposa y sus hijos. Cuando el siervo se entera de lo que está a punto de sucederle, va deprisa al rey y se postra en el suelo suplicándole que le dé más tiempo.

Algo en la súplica rostro en tierra del siervo ablanda el corazón del rey. Jesús dice que se sintió «movido a misericordia»[5]. En el acto, el rey toma una decisión. No se limita a darle más tiempo. Le perdona al siervo cada deuda y el siervo sale libre de allí.

¿Te puedes imaginar cómo se debe haber sentido ese siervo? Un minuto antes estaba en desgracia, en una atroz deuda, y enfrentaba un destino terrible. Al minuto siguiente estaba libre de deuda.

Sin embargo, el siervo no llevó la compasión de su rey al corazón. En cuanto sale de la presencia del rey, acorrala a un amigo que le debía el dinero de un almuerzo. Cuando el amigo no pudo pagarle, el siervo lo metió en la cárcel hasta que le pagara toda la deuda.

Entonces se enteró el rey. Lleno de ira, llamó al siervo a su presencia y le dijo:

Siervo malvado, toda aquella deuda te perdoné, porque me rogaste. ¿No debías tú también tener misericordia de tu consiervo, como yo tuve misericordia de ti? Entonces su señor, enojado, le entregó a los verdugos, hasta que pagase todo lo que le debía[6].

¡Otro giro sorprendente! De un hombre bendecido y libre un minuto antes a un prisionero torturado al siguiente. Además, solo una cosa detendría el tormento: el pago de todo lo que debía.

No pases por alto quién es el rey (también llamado «señor») en la historia. Es Dios el Padre. Lo sabemos porque Jesús cuenta la historia en respuesta a la pregunta de Pedro acerca de la frecuencia con la que debían perdonar los seguidores de Cristo. Escucha lo que dice Jesús a continuación mientras enfatiza la razón más sorprendente para perdonar en toda la Biblia:

> *Así también mi Padre celestial hará con vosotros si no perdonáis de todo corazón cada uno a su hermano sus ofensas*[7].

¿Quieres saber lo que piensa Dios del perdón? Jesús nos lo dijo. Dios no piensa que el perdón solo sea una idea estupenda ni una simple sugerencia. Es más, al igual que el rey de la historia de Jesús, Dios se enoja cuando a los que Él les ha perdonado todo se niegan a perdonarse unos a otros lo que en comparación son bagatelas.

Además, ahora sabemos que cuando no perdonamos, Él *actuará*. Esto lo reveló Jesús con claridad cuando dijo: «Así también mi Padre celestial hará con vosotros».

¿Qué hará con exactitud el Padre? Nos entregará «a los verdugos». Dios Padre no atormenta a nadie Él mismo, pero Jesús nos indica que sí entrega a las personas a las dolorosas consecuencias.

¿Por cuánto tiempo? Tal como lo dijo Jesús, hasta que les perdonen en su corazón sus ofensas a los demás.

Ahora sabe por qué le hice a Mary Ann una pregunta tan poco usual: «¿Diría usted que su vida ha sido un tormento desde entonces?». Esa simple pregunta nos valida a ti, a mí y a todos una profunda necesidad de un milagro de perdón.

Durante los muchos años de entrega de este milagro, nunca he tenido personas con falta de perdón en su corazón que no respondieran cuando se les pregunta si experimentan tormento. En tu cita de milagros, Dios Padre quiere que la persona se libere de la prisión del tormento. No solo te envía a entregar el milagro en su nombre, sino que su Espíritu ha estado

> *¿Quieres saber lo que piensa Dios del perdón? Jesús nos lo dijo. Dios no piensa que el perdón solo sea una idea estupenda ni una simple sugerencia.*

obrando de manera activa en el corazón desde el momento en que se produjo la herida.

¿Y qué es lo que más quiere Dios de tu encuentro con la persona encerrada por la falta de perdón? Que no haya más sufrimiento, eso es seguro. Para empezar, Dios se lamenta con cada persona herida de que se produjeran esos daños. Lo que Dios siempre ha deseado de manera profunda es la liberación sobrenatural de la persona herida de la prisión de la falta de perdón.

La liberación del pasado comienza cuando captamos los fuertes sentimientos que Dios tiene en cuanto a la falta de perdón y cuando iniciamos nuestras conversaciones sabiendo lo mucho que Él quiere liberar a las personas de sus aflicciones.

Cinco pasos para la entrega de un milagro de perdón

Los pasos para la entrega descritos aquí te prepararán a fin de que guíes a una persona a abrirse camino hasta la libertad emocional. Mientras más entregues este milagro, mayor será tu habilidad.

Por fortuna, ya sabes mucho. Por ejemplo, ya has visto cómo el cielo se asocia a nosotros para entregar milagros de diversas clases. Y el proceso de entrega en cinco pasos que encontraste en el noveno capítulo, se ajusta de manera directa y en la misma secuencia que aquí.

Primer paso: Identifica a la persona. Algunas veces, la persona reconocerá enseguida que existe rencor o una relación destruida: «Ya no hablo con mi madre». O quizá notes que cuando se toca cierto tema, la persona se retrae o se vuelve demasiado sensible. Tal vez observes manifestaciones de ira crónica. O es posible que veas actitudes más generalizadas que con frecuencia cubren viejas heridas: actitudes como el cinismo, el derrotismo, la amargura, la crítica y la desconfianza de las relaciones.

Cualquier herida emocional que se produjo hace mucho tiempo, pero que sigue surgiendo en las conversaciones, o agita unas emociones fuera de contexto o inadecuadas, suele revelar la verdadera situación. Eso es lo que le sucedió a Mary Ann. Sufría por una herida que tenía dieciocho años como si fuera parte de su vida en el presente.

Cada vez que veo patrones de conducta autodestructiva, parto de la hipótesis de que la falta de perdón podría ser una causa subyacente. Cada vez que veo una dificultad para entablar relaciones estrechas, o confusión con respecto a la dirección de la vida, tomo también estas pistas importantes.

En tu conversación, usa afirmaciones, observaciones y preguntas orientadoras. Recuerda, tú no sabes aún si estás hablando con tu cita de milagro. Todo lo que haces es usar sacudidas de final abierto que aportan claridad:

- «Parece que ese asunto no se ha resuelto. ¿Sigues sintiendo infelicidad o dolor a causa de lo que sucedió?» (Estás observando un aspecto de necesidad potencial y lanzando una sacudida en busca de una señal de sufrimiento o tormento).
- «Háblame de tu familia durante tu niñez». (Una pregunta general en un aspecto donde la mayoría de nosotros experimenta heridas; hablaremos más de esto en el siguiente paso).
- «Ese tema es difícil para ti, ¿verdad?» (La invitación sin palabras es para que la otra persona confirme su necesidad).
- «¿Alguna vez te parece que ciertas cosas dolorosas que te sucedieron en la vida te siguen frenando?» (Buscas señales de la existencia de un patrón que confirme la necesidad de perdón).

Una vez que comiences a sentir necesidades en este aspecto, ve a la sacudida más importante para un milagro de perdón, lo que yo llamo el Confirmador de Falta de Perdón: «¿Dirías que te sientes atormentado de vez en cuando?». Luego, guarda silencio hasta que la persona tenga el tiempo para pensar y responder.

Tal vez te sientas incómodo las primeras veces que hagas esta pregunta de confirmación, pero cuando veas a Dios obrando en una persona tras otra para que confiesen de inmediato que esto es cierto, sentirás alivio.

En cuanto te sientas seguro de que la persona con la que estás hablando es tu cita de milagro, estarás listo para la transición hacia el próximo paso.

Segundo paso: Aísla la necesidad. Es obvio que Dios quiere que se solucionen todas las faltas de perdón. Sin embargo, pocas veces la persona puede enfrentarse a todas sus heridas a la vez. Cuenta con que Dios te revelará dónde y con quién Él quiere que comiences el progreso. Para aislar la necesidad o necesidades que Dios quiere resolver, trata de enfocarte en tres aspectos:

- quién fue el que más hirió a la persona (el ofensor)
- qué hizo el ofensor (las heridas)
- qué heridas producen más angustia emocional (el punto de partida)

Una vez que tengas su atención, no te desvíes hacia incidentes o personas adicionales.

Tu intención es que la persona que necesita el milagro tenga una lista clara de agravios para empezar, si no la tiene en papel, que la tenga en su mente. Una lista clara es indispensable para la eficiente entrega del milagro. Esto se debe a que la falta de perdón está relacionada con las ofensas concretas que causaron las heridas y no solo con la persona que las ocasionó.

Ten en cuenta que un alto por ciento de nuestras heridas ocurre en nuestras relaciones clave: un cónyuge, un padre, un hijo, un hermano, un amigo íntimo, un pariente o un conocido del trabajo o la iglesia. Lanza sacudidas con preguntas como estas: «Piensa en tu vida pasada. ¿Qué fue lo que más te hirió?» o «¿Desearías contarme cómo fue que más te hirieron?».

Tú te hallas en esta conversación por un motivo: servir a la persona como un médico de las heridas del corazón que puede posibilitar el milagro del perdón. Ten cuidado de mantenerte sensible e imparcial mientras representas al Señor ante la persona y te ocupas de aspectos dolorosos, y hasta vergonzosos en ocasiones, que quizá la persona nunca se lo haya dicho antes a nadie.

He descubierto que cuando nos asociamos con Dios en este aspecto, su Espíritu se halla muy activo. Le trae a la mente cosas concretas a la persona. Escucha con atención expresiones como «No sé de dónde me vino esto, pero...» y «Había olvidado esto...». Ese es el Espíritu en acción.

Ahora que sabes quién más hirió a la persona y tienes una lista de las heridas concretas más angustiosas, estás listo para el tercer paso.

Tercer paso: Abre el corazón. Jesús dejó en claro que la liberación del tormento solo puede concederse cuando una persona perdona a otra «de todo corazón». Por tanto, el propósito del tercer paso es preparar a la persona de manera emocional a fin de que esté lista para perdonar al ofensor, no con la mente, ni con la voluntad, sino con el corazón. Para que esto suceda, debemos poner a la persona en contacto emocional con sus heridas.

La persona puede decir: «Sí, sé que debo perdonar». Sin embargo, eso no significa que esté dispuesta a hacerlo. Una persona puede reconocer realidades convincentes: «Mi tío Robert me hizo mucho daño. Me he sentido devastado desde entonces. Eso me sigue haciendo daño en mi vida hoy». Con todo, aún necesitamos ayudar a esa persona para que se prepare en lo emocional para soltar ese daño.

¿Soltar qué en concreto? Soltar un profundo deseo de justicia. O de la necesidad de ajustar cuentas o vengarse. O todas las otras emociones poderosas involucradas que acompañan a la falta de perdón. Y esos sentimientos, por venenosos que sean, pueden parecerle a la persona afectada como una parte necesaria de su identidad. Es extraño que soltarlas quizá le parezca más una pérdida, que una ganancia.

En este punto, la forma más poderosa de servir a los que están tratando de perdonar es contarles el relato de Mateo 18, incluyendo la asombrosa revelación de que estarán en tormento hasta que abran su corazón y perdonen. En este capítulo, has visto algunas de las verdades más importantes: el precio personal por la falta de perdón, los fuertes sentimientos y claros mandatos de Dios al respecto, y la promesa muy real de un final definitivo del tormento, de escapar de la prisión, una vez que se concede el perdón. Cuéntale esto a la persona que necesita un milagro.

Trata de identificar cuál es la creencia errónea que mantiene atascada a esa persona y ayúdala a ver la verdadera creencia. Puedes recordar tres de las más importantes:

- Jesús: «Jesús te perdonó. Tú puedes decidir perdonar a otros».
- Justicia: «La venganza es de Dios, no tuya ni mía».
- Carcelero: «Tú eres tu propio carcelero. Tus tormentos no terminarán hasta que perdones. Entonces, terminarán de inmediato. Serás libre. Y eso es lo que Dios quiere para ti».

Mantén la conversación enfocada en la persona que necesita perdonar, no en la que causó las heridas. Repito, tu meta es llevar a la persona a un punto de buena disposición para perdonar. Mírala a los ojos mientras le hablas. Así sabrás cuándo abre su corazón. Las pistas de que su corazón está abierto serán obvias: emociones, expresiones faciales, tono de voz y, a menudo, lágrimas.

Ahora la persona está lista para experimentar el milagro del perdón.

Cuarto paso: Entrega el milagro. En este punto, la persona ya está preparada para perdonar, pero con tantas emociones agitadas y en conflicto, no tiene un claro camino delante. Es más, quizá hasta te diga con sinceridad: «De veras que quiero, pero no sé si pueda». Sirve como el puente humano de su «quiero perdonar» a su «perdoné». El Espíritu de Dios te guiará en este proceso tan personal.

Puedes comenzar diciendo: «Me gustaría ayudarte a hacerlo. ¿Te sentirías bien con solo repetir las palabras que te vaya diciendo?». (El perdón entre personas no se expresa en una oración dirigida a Dios, sino en una declaración de perdón hacia el ofensor).

Si está de acuerdo, guíala con amabilidad en una conversación natural, ayudándola a nombrar y después a perdonar heridas concretas que vengan a la mente o que mencionara antes: «Perdono a mi padre por decirme que nunca iba a servir para nada... por abandonarnos a mi mamá y a mí... por no venir a verme jamás...».

En ciertos casos, quizá necesites ayudar a la persona con algunas preguntas de final abierto:

- «¿Qué otra cosa hizo tu padre que te hirió?»
- «¿Te viene algo más a la mente?»

Estás tratando de llegar al dolor de su herida. Sé paciente y comprensivo, anímalo con amabilidad a que exprese sus sentimientos, cualquiera que sea la herida y en cada situación, y después que perdone cada caso.

No apresures a la persona, ni te muestres incómodo con los períodos de silencio, que son los que le dan tiempo al Señor para obrar. Recuerda, este milagro lo entrega Dios. No te preocupes de que la persona quizá olvide mencionar algunas heridas. El Espíritu Santo guiará sus pensamientos para que lidie con sus verdaderas heridas.

Por supuesto, es de esperar que los dolores verdaderos despierten emociones: lágrimas, enojo, angustia. Eso es bueno y natural. Tu papel es ser un oidor paciente y amable.

Cuando la persona parezca que terminó, usa la Prueba del Perdón. Pídele que repita estas palabras en voz alta:

Ante Dios, he perdonado por completo a _____ de cada herida.

Luego, guarda silencio por un minuto y observa si Dios está de acuerdo. Durante esos pocos segundos de silencio, la persona casi siempre recuerda alguna otra cosa. Después de cada nuevo ciclo de perdón, procura hacer de nuevo la Prueba del Perdón hasta que no surja nada más. Entonces sabes que la parte del milagro de perdón se entregó con éxito.

El tormento termina cuando se perdona de una manera genuina. Es de esperar que el milagro traiga consigo una sensación de paz. Si la notas, díselo a la persona: «Ya te ves más en paz. ¿Te sientes más ligero por dentro?». El perdón es uno de los milagros más hermosos que presenciarás jamás.

Quinto paso: Transfiere el crédito. Tu paso final es ayudar al beneficiario del milagro a centrarse en Aquel a quien ofendió al no perdonar. Me gusta recordarle a la persona que Dios ha estado presente en la conversación y que Él es el sanador de los corazones y el destructor de todos los tormentos.

Ahora bien, para completar el milagro de perdón en su totalidad por su cuenta, la persona necesita recibir el perdón total de Dios.

El perdón puede liberar sanidad de maneras sorprendentes. Un gran avance es muchas veces el comienzo de la restauración en otras relaciones.

Recuérdale que Dios ve la falta de perdón como pecado: «¿Cómo crees que se sentía Dios por tu falta de perdón y amargura durante todos estos años?». En ese momento, el corazón de la persona está tan tierno que admitirá con facilidad que a Dios no le agradaban su enojo y su amargura. Muchas veces, continúo el proceso de guiar a la persona con frases cortas que puede repetir después de mí: «Amado Dios, confieso mis pecados de falta de perdón... Me he aferrado al resentimiento, la amargura, el odio y la venganza... Te he ofendido a ti y he quebrantado tu corazón...Te ruego que me perdones por no perdonar».

Y ahora has entregado dos regalos: se perdonó a la persona que causó las heridas y se perdonó a la persona que ofendió a Dios al no perdonar.

Según mi experiencia, el perdón puede liberar sanidad de maneras sorprendentes. Por ejemplo, un gran avance en el perdón es muchas veces el comienzo de progresos y restauración en otras relaciones, incluyendo la relación de la persona con Dios.

El hombre que vino a la carrera

Para concluir este capítulo, quiero llevarte de vuelta a una escena del primer capítulo. ¿Te acuerdas de Jack, el camarero y padre soltero? Te hablé de que lo conocí en un restaurante de Colorado en una noche de otoño. De camino al trabajo, le dijo a Dios que necesitaba con urgencia cien dólares para cubrir un sobregiro. Entonces, durante la cena, Dios me impulsó de una forma muy poco usual a abrir mi Bolsillo de Dios y entregarle la cantidad exacta por la que oró.

Sin embargo, la historia no termina aquí.

Nuestro grupo de la cena se había despedido ya esa noche, y yo me dirigía hacia mi auto cuando escuché que alguien me gritaba:

—¡Espere!

Era Jack que venía por el estacionamiento hacia mí.

—Solo tengo que darle las gracias de nuevo —me dijo—. Esto no me había sucedido nunca antes.

Había acabado su trabajo de esa noche, y era obvio que quería hablar conmigo. Le recordé que el dinero no era mío; le pertenecía a Dios, y yo solo era su repartidor. Sin embargo, noté que lo que trataba de captar Jack iba más allá del hecho de la provisión milagrosa. Era lo que *significaba* ese suceso lo que lo tenía sacudiendo la cabeza... lo que el milagro le decía acerca de Dios, acerca del sentido de su vida.

Cuando hablamos más acerca de su situación familiar, sentí que Dios quería que fuera más hondo, así que le pregunté:

—Jack, ¿Dios lo está persiguiendo?

—Sí, así es —me contestó sin vacilar.

—¿Por qué razón?

No me respondió. Sentí que seguía tratando de armar el rompecabezas del sentido de todo eso. Con todo, pensé que quizá yo lo supiera.

—¿Su ex esposa se volvió a casar? —le pregunté.

—No —me dijo.

—¿Y usted se ha vuelto a casar?

—Tampoco.

—¿Alguno de los dos está enamorado de otra persona?

—No.

—¿Será tal vez que Dios quiere que vuelvan a unirse?

—Ah, eso es imposible —me dijo con tristeza—. He dicho y hecho algunas cosas terribles. Y lo mismo ha hecho ella conmigo.

Levantó la mirada a las montañas distantes y dijo:

—Nunca podría resultar.

Sin embargo, no creía eso en lo absoluto. Y ahora que tú comprendes cómo Dios prepara nuestras citas de milagros, ¡sé que tú tampoco lo hubieras creído de haber estado allí!

—Si todo eso se pudiera resolver entre ustedes dos, ¿qué haría usted? —le pregunté a Jack presionándolo un poco.

—Bueno, le pediría que se casara conmigo.

—¿Desearía perdonarla aquí mismo en este estacionamiento?

Jack parecía asustado.

—Pero eso es imposible —me dijo.

—No, señor, no lo es —le dije sonriente—. Ni siquiera le va a tomar mucho tiempo.

Y así fue. Mientras lo iba guiando hacia un milagro de perdón, su corazón estaba tan abierto que en casi todos los pasos hacía un gran esfuerzo por avanzar. ¿Sabes una cosa? Desde el momento en que lo vi correr hacia mí por todo el estacionamiento, supe que sería así.

Cuando terminamos, me dijo con alivio y mucha convicción:

—¡Para diciembre, ya me veré de rodillas pidiéndole que se case conmigo!

Esa noche, en el caso de Jack, un milagro desencadenó otro y otro más, como las fichas de dominó al caer. Dios no solo satisfizo la necesidad económica de Jack y lo liberó de la falta de perdón, sino que también se le hizo visible como un Dios personal y amoroso que seguía teniendo un buen futuro para su vida.

Espero que, después de leer este capítulo, nunca subestimes de nuevo el poder del perdón, el costo de la falta de perdón y la necesidad urgente de un milagro de perdón en casi todas las personas con las que te encuentres.

En todas partes hay personas en prisión. Dios tiene el corazón quebrantado. Y a ti y a mí nos han dado una llave que trae libertad.

Epílogo

Bienvenido al principio

Si eres como yo, no hay nada que te guste más que llegar al final de una aventura triunfante... a menos que comiences una nueva. Ahora que llegaste al final de este libro, la mejor noticia es que solo se trata del principio de tu nueva vida en el Territorio de Milagros Diarios.

Mi esperanza es que ya no seas la misma persona que eras cuando comenzaste a leer la primera página. *Tú naciste para esto* nunca tuvo la intención de ser un libro *acerca* de algo; se pensó para *crear* algo: un momento decisivo en tu vida. Algunos quizá debatan la terminología usada en el libro o se ofendan por mis interpretaciones. Sin embargo, eso no me molesta mucho. Lo que me rompería el corazón es si contemplaras la amplia gama de oportunidades sobrenaturales en las que Dios te invita a vivir... y le volvieras la espalda.

La agenda del cielo en nuestro mundo y en nuestra vida diaria es muchísimo mayor de lo que llegarán a comprender jamás millones de seguidores de Cristo. En cambio, ¡tú has podido mirar tras el velo del cielo!

¿Cuántos cristianos has conocido que comprendan que Dios no es el que limita el fluir de los milagros personales diarios para las personas necesitadas, sino la gente?

¿Cuántos conoces que sepan que Dios siempre está buscando voluntarios para sus misiones de milagros y enviando siempre señales acerca de lo que Él está haciendo y lo que quiere hacer por medio de nosotros?

¿Cuántos conoces que se den cuenta de que siempre es posible asociarse con Dios para hacer su obra a través de su poder?

Mi misión ha sido despertarte a la mayor y más prometedora vida posible en tu caminar con Dios. Él es, a fin de cuentas, «Aquel que es poderoso para hacer todas las cosas mucho más abundantemente de lo que pedimos o entendemos, según el poder que actúa en nosotros»[1].

> *Mi misión ha sido despertarte a la mayor y más prometedora vida posible en tu caminar con Dios.*

¿Lo has encontrado a Él y su sueño para ti de una manera nueva en estas páginas? Espero eso.

Si ha sido así, ya deberías estar viendo tu propia vida de una manera radicalmente distinta. Dedica un momento a medir hasta qué punto tus nuevas creencias han cambiado, mientras lees las siguientes declaraciones:

- Solía ver los *milagros* como sucesos espectaculares de antaño o que en estos días solo los experimentan unos pocos. Ahora veo que Dios hace milagros personales sin cesar por medio de gente común y corriente que sabe cómo funciona el cielo y que hace suya la agenda de Dios.

- Solía ver a *otras personas* en función de lo que aparentaban en su exterior. Ahora reconozco que cada persona es alguien con una necesidad, quizá que solo conoce Dios, que Él quiere satisfacer en su totalidad, muy posiblemente por medio de mí.

- Solía ver el *cielo* como un lugar donde quizá viviría algún día. Ahora reconozco que el cielo es también un lugar donde

Dios está ocupado ahora mismo en la planificación de citas de milagros en la tierra y buscando personas que se quieran ofrecer para asociarse con Él en la entrega de esos milagros.

- Solía *verme* como alguien que tal vez pudiera llegar a experimentar un milagro algún día. Ahora veo que Dios está listo para hacer milagros por medio de mí con regularidad, a fin de satisfacer necesidades importantes de los demás. (Y estoy en la lista de confiables repartidores de milagros en el cielo).

- Solía ver un *mundo* en el que no tenía poder para cambiar muchas cosas. Ahora veo un mundo donde cada necesidad urgente o cada carencia dolorosa me trae a la mente cómo el deseo de Dios desde el principio ha sido obrar de manera sobrenatural para satisfacer esas necesidades por medio de gente como yo.

- Solía percibir al *Espíritu de Dios* como una fuerza misteriosa e invisible que me parecía muy remota de mi vida diaria. Ahora veo al Espíritu como una Persona que se quiere asociar conmigo de manera sobrenatural para llevar a cabo la agenda del cielo.

- Solía dar por sentado que una *cita de milagros*, si es que algún día tenía alguna, estaría envuelta en el misterio y que mis posibilidades de tener éxito serían escasas. Ahora comprendo que unas señales identificables y unos pasos en la entrega me pueden llevar al éxito en cualquier misión de milagros y que Dios desea más mi triunfo que yo mismo.

- Solía ver el *día de hoy* como uno igual a cualquier otro, en el que lo más probable era que Dios no intervendría de alguna manera notable. Ahora veo cada día como una emocionante oportunidad para que Él me envíe en una misión de milagros a una persona necesitada, y puedo esperar el éxito porque va a obrar de manera poderosa... ¡por medio de mí!

Si encuentras que la segunda frase de cada declaración es la que representa tu manera actual de pensar, ¡te felicito! Te has tomado en serio el mensaje de este libro. Ahora sabes que asociarse con Dios en su agenda de milagros en favor de otros no es solo el merengue en la tarta espiritual, sino que *es* la tarta misma.

Atraviesa el techo

Uno de mis relatos favoritos del Nuevo Testamento acerca de la entrega de un milagro personal es el que narra Lucas sobre cuatro amigos que decidieron llevarle a Jesús un paralítico para que lo sanara. El momento en que lo hicieron no habría podido ser peor. La casa donde estaba enseñando Jesús se hallaba repleta de público.

Con cada puerta y ventana bloqueadas, ¿cómo iban a poder meter los amigos al hombre con su camilla hasta Jesús? No veían ninguna manera posible de cumplir con su cita de milagros. ¿Debían marcharse?

Lucas nos cuenta lo que decidieron hacer en su lugar:

> *Y no hallando cómo introducirlo debido a la multitud, subieron a la azotea y lo bajaron con la camilla a través del techo, poniéndolo en medio, delante de Jesús*[2].

Esas palabras se ven muy inocentes cuando se leen, ¿verdad? Sin embargo, imagínate la escena...

Primero, mucho ruido de pies y cosas que se arrastraban por el techo.

Jesús se detiene en medio de una frase. Algunos de sus oyentes miran hacia arriba.

Entonces, comienzan a caer tierra y pedazos de tejas mientras se abre un agujero por encima de sus cabezas. Ahora todo el mundo se ha quedado mirando incrédulo hacia arriba. El dueño de la casa está furioso y sus huéspedes horrorizados. Se ponen de pie de un salto, gritándoles a los canallas que están en el techo que paren o que se atuvieran a las consecuencias.

Aun así, los cuatro hombres no paran. El agujero se abre cada vez más. Entonces, ven descender una camilla, que van bajando centímetro a centímetro mediante unas cuerdas. En la camilla está el desdichado cascarón de un hombre que termina descansando en el suelo, delante de Jesús.

Todos miran a Jesús. ¿Cómo reaccionaría? Si Él es Dios en realidad, *¿cómo reaccionará Dios?*

Y fue entonces cuando ven que Jesús sigue mirando hacia el techo y a las caras de los cuatro hombres expectantes.

¿Cómo sé eso?

«Viendo Jesús la fe de ellos», dice la Biblia («de ellos» se refiere a los hombres en el techo), se vuelve al paralítico en la camilla y le dice: «Tus pecados te son perdonados [...] Levántate, toma tu camilla y vete a tu casa».

> *Al instante, se levantó delante de ellos, tomó la camilla en que había estado acostado, y se fue a su casa glorificando a Dios. Y el asombro se apoderó de todos* [la multitud de los espectadores] *y glorificaban a Dios*[3].

A partir de cuatro amigos sin la menor oportunidad... hasta una misión cumplida y un inolvidable despliegue del poder y la gloria de Dios. ¿Cómo sucedió eso?

La respuesta es sencilla, pero no fácil. Cuando los amigos no podían ver la manera de acercarse, siguieron adelante de todas formas. Crearon una forma nueva, negándose a que los detuvieran unas circunstancias desafiantes. También se negaron a dejarse influir por las expectativas de otras personas. Su deseo de recibir el milagro de Dios para un amigo era mucho mayor que todo eso.

Tú naciste para esto es mi mejor intento por ayudarte a ver que Dios puede obrar y lo hará por medio de tu fe para llevarles milagros a otros. No necesitas tener la oportunidad perfecta. Ni necesitas siquiera estar preparado a la perfección. Eso se debe a que ya eres el candidato perfecto para entregar el milagro.

¿Te acuerdas?

Eres *una persona enviada* (la Llave Maestra) que le *muestra el corazón de Dios por la gente* (la Llave de la Gente) y que *se asocia a propósito con el Espíritu* para hacer la obra de Dios (la Llave del Espíritu) mediante *actos de dependencia de Él* (la Llave del Riesgo) en la entrega de su milagro a otros.

Entonces, ¿cómo te ve Dios ahora mismo? Creo que Jesús nos lo mostró. El mismo Señor que sentía pasión por entregarles los dones del cielo a las personas necesitadas, es el que te mira en este instante con agrado y gran expectativa.

Equipado por completo

¿Cuáles son las decisiones personales que podrías tomar hoy que te asegurarían que tu nueva vida de milagros continúe floreciendo? Te recomiendo cinco.

1. *Comprométete.* ¿Estás listo para «atravesar el techo» con el propósito de hacer tus entregas de milagros? En cada oportunidad para un milagro, llegarás a un punto en el que no sabrás cómo dar el próximo paso. Sin embargo, en ese momento es cuando la fe que agrada a Dios toma una decisión sorprendente. Cuando no ves manera posible para hacer lo que Dios desea que se haga, avanzas de todos modos con la dependencia segura en Él. Según mi experiencia, muy a menudo esas son las situaciones que conducen a historias de milagros que nunca me canso de contar. Comprométete ahora mismo a perseguir tus oportunidades de milagros, sabiendo que Dios se manifestará de maneras sobrenaturales.

> *Cuando no ves manera posible para hacer lo que Dios desea que se haga, avanzas de todos modos con la dependencia segura en Él.*

Y he aquí una acción pequeña, pero poderosa, que te animo a tomar: inscríbete hoy en la creciente comunidad en línea que acude a www.YouWereBornForThis.com (en inglés). ¿Por qué esto es tan importante? Porque he notado que hay dos clases de decisiones que raras veces llevan a un cambio de vida, si es que lo hacen en alguna ocasión: las decisiones privadas y las decisiones pospuestas. Por eso identificarse en público y unirse a otros que poseen tus nuevos compromisos tiene tanto poder.

2. *Actúa.* Tú no puedes dominar cada principio en este libro hoy, pero puedes pedirle a Dios que te envíe hoy a una persona necesitada. Hoy mismo puedes pasar por todas tus conversaciones con una nueva

conciencia de lo que Dios te podría estar poniendo en el camino. Puedes responder a tus impulsos. Puedes buscar pistas. Puedes lanzar sacudidas. Hay muchas cosas que ya *puedes* hacer. Esto significa que ya *puedes hacer tu parte* en tu sociedad con Dios. Si cumples tu parte, Dios hará la suya. Te encontrarás delante de tu tarea de milagro con todo lo que necesitas saber a fin de cooperar con gozo y éxito en una provisión sobrenatural.

Pídele a Dios que te muestre lo que Él te tiene preparado para que hagas. Por ejemplo, tu experiencia de vida, sobre todo en un aspecto en el que has batallado o sufrido, te sugerirá muchas veces las clases de personas o situaciones en las que hallarás más oportunidades.

Pídele ahora a Dios que te bendiga con oportunidades para entregar milagros en las mismas esferas donde has experimentado dolor en el pasado. Tu vida te ha preparado de una manera buena en especial para el tercer paso de la entrega: «Abre el corazón».

No te preocupes pensando que Dios te vaya a pedir que hagas más de aquello para lo que estás preparado, en especial cuando acabas de comenzar. A Dios le encantan los principiantes, y como ya habrás notado, Él combina a la perfección cada oportunidad de milagro con su mejor elección del «repartidor».

3. *Crece.* Decide ahora lo que harás, pase lo que pase, con el fin de estar listo para cualquier encomienda de milagro a la que Dios te quiera enviar, incluso las que ahora parecen fuera de tu alcance total.

La forma más importante de hacer crecer tu eficiencia es mediante el estudio de la Biblia a fin de comprender mejor el ministerio de milagros, aparte de recibir ánimo a diario. Se nos ha dado la Palabra de Dios para que todo «repartidor» sea «perfecto, enteramente preparado para toda buena obra»[4]. Puesto que cada milagro es una buena obra, piensa en las implicaciones de esta declaración. *¡Dios ya te abrió el camino para que estés «enteramente preparado» cuando te lleguen todas las misiones de milagros para las que te crearon!*

Los milagros de entrega especial presentados en este libro son solo tres que sucederán y lo harán cuando apliques los principios bíblicos. Comienza ahora a prepararte de manera deliberada para milagros personales en otras esferas como los conflictos en las relaciones, los hábitos de pecado y la necesidad de la salvación, por mencionar algunos. Y visita la página Web del libro para estudios bíblicos y otros recursos útiles para el crecimiento personal.

Otra manera para crecer es la de aplicar a gran escala los principios básicos y los recursos que estás aprendiendo: en tu familia o en otro grupo pequeño, por ejemplo, o incluso en escenarios mayores dentro de tu comunidad o en el mundo entero. Todos los principios y los recursos que aparecen en el libro dan resultado, porque se basan en la forma de obrar del cielo. Esto significa que tu asociación con Dios para los milagros no tiene prácticamente límite alguno en cuanto a los lugares donde la puedes aplicar para su gloria. Da algunos pasos audaces fuera de tu zona de comodidad y observa lo que hará Dios.

4. *Multiplícate.* Es mi mayor deseo y continua oración que las verdades en este libro liberen a millones de personas en el mundo entero de modo que descubran nuevas maneras de asociarse con el cielo a fin de servir a la humanidad en sus necesidades. Ahora bien, todo movimiento comienza por una sola persona. Por lo tanto, piensa en lo que puedes hacer para multiplicar la cantidad de personas que conozcan el mensaje de la vida de milagros.

Sabes que Jesús nos encomendó a cada uno de sus seguidores que fuéramos e hiciéramos discípulos. No obstante, siempre me quedo pensando en lo que Él no dijo. Por ejemplo, no nos ordenó: «Vayan cuando estén listos», ni «Vayan si están dedicados al ministerio profesional», ni «Vayan, pero no hace falta que hagan discípulos si solo aman a la gente».

He aquí la asombrosa verdad: Lo que Jesús nos ordena hacer a ti y a mí es nada más y nada menos que aquello para lo que nos creó Dios y que nos dará el poder para llevarlo a cabo. Cuando le des la prioridad a tu multiplicación en la vida de otras personas con las que Dios te ha puesto en contacto, descubrirás una realización personal y una productividad que no puedes experimentar de ninguna otra manera.

Comienza a multiplicar el mensaje con las personas que ya Dios te ha colocado en tus esferas de influencia. ¿Por qué no ir revisando este libro paso a paso con tu familia o con tus amigos y compañeros de trabajo, o en un pequeño grupo en tu iglesia?

Si eres pastor, te sugiero que hagas una serie de predicaciones que abarquen todos estos temas, con el fin de preparar mejor a tu congregación para que viva en una milagrosa asociación con el Espíritu. Imagínate lo que sucedería en tu comunidad si la mayoría de los miembros de tu iglesia aprendieran a depender del poder de Dios para un ministerio de resultados milagrosos. La iglesia estaría repleta, llena de personas que son testigos de lo que Dios puede hacer por medio de ellas y que están ansiosas por aprender más.

¿Tienes una historia de algún milagro personal como consecuencia de la lectura de este libro que quisieras contar? Ve a www. YouWereBornForThis.com, haz clic donde dice «My Miracle Story» [La historia de mi milagro], y cuéntanos lo que te ha sucedido. Alentarás a otros y le darás el crédito a Dios por lo que ha hecho. La Biblia está llena de historias de cómo Dios intervino en tiempo y espacio, y lo que sucedió como resultado en la vida de las personas. Ahora, te toca a ti contar lo sucedido.

Y eso me lleva a un paso final que debe dar todo «repartidor» de milagros.

Declara su poder

Vivimos en una época que parece haber reducido gran parte de la vida cristiana a dos expectativas: lo que Dios puede hacer por nosotros, y lo que nosotros podemos hacer por Él. Sin embargo, cada página de este libro se pensó para presentarte una tercera expectativa que es más profundamente emocionante que las anteriores: lo que Dios puede hacer por medio de nosotros en favor de otros.

Y esto me lleva a la exhortación final que te quiero hacer.

5. *Declara.* ¿Has notado que gran parte de la Biblia está dedicada a relatar las maravillas de Dios? Muchísimos Salmos y textos importantes, tanto del Antiguo Testamento como del Nuevo, relatan las

> *¿Estás dispuesto a unirte a nosotros a fin de recuperar para nuestra generación la reputación de nuestro Dios obrador de milagros?*

maravillosas obras de Dios para que las oigan todos. Sin embargo, en nuestra generación, las maravillas que Dios ha hecho, y va a seguir haciendo en favor nuestro y por medio de nosotros, se pasan por alto con gran frecuencia.

«Generación a generación celebrará tus obras», escribe el salmista, «y anunciará tus poderosos hechos [...] Del poder de tus hechos estupendos hablarán los hombres, y yo publicaré tu grandeza»[5].

¿Estás dispuesto a unirte a nosotros a fin de recuperar para nuestra generación la reputación de nuestro Dios obrador de milagros? ¿Estás dispuesto a recuperar para ti mismo y para tus seres amados ese derecho que tienes por nacimiento a lo milagroso como una forma normal de vida?

Tú y yo nacimos para esto... aun cuando tengamos que atravesar el techo para lograrlo.

Reconocimientos

Un proyecto de esta magnitud no se habría realizado sin mucha ayuda, y he tenido la bendición de recibir esa ayuda de numerosas personas. Debido a la naturaleza poco usual del tema, probé el material ante una amplia variedad de diez audiencias diferentes, incluyendo iglesias de diversas índoles y una reunión de líderes del ministerio internacionalmente representativa celebrada en Hong Kong. En todas estas ocasiones, los oyentes contribuyeron con valiosas ideas y me siento agradecido con todos. En particular, les estoy agradecido a los que asistieron a una serie de enseñanza de cuatro semanas organizada por Bruce y Toni Hebel en Tyrone, Georgia. Su significativo compromiso con el contenido y sus ansias por llevarlo a la acción han sido una fuente de inmensa ayuda y aliento.

Los ejecutivos de publicación de WaterBrook Multnomah y del Grupo de Publicaciones Crown hicieron esfuerzos extraordinarios para asegurar el éxito de este proyecto. Mi gratitud para Stephen Cobb, Ken Petersen, Carie Freimuth y Lori Addicott en Colorado Springs y para Jenny Frost, Michael Palgon y David Drake en la ciudad de Nueva York. Su entusiasmo y su apoyo, tanto personal como profesional, fueron indispensables, y no los di por sentado. Gracias.

Mientras más se acerca un libro a una sobrecogedora fecha límite de entrega, más necesitan los autores de las habilidades y la paciencia del equipo editorial y de producción. A Julia Wallace, jefa de redacción; Laura Barker, directora editorial; Mark Ford, director principal de arte; Kristopher Orr, diseñador gráfico; Carol Bartley, editora de producción; Karen Sherry, diseñadora del interior; y Angie Messinger, tipógrafa, mi agradecimiento por su perseverancia y buen ánimo.

Ya estoy impresionado ante la creatividad y la energía del equipo de mercadeo de WaterBrook Multnomah y tengo grandes deseos de asociarme con ustedes para lograr numerosos éxitos en el futuro. Para Tiffany Walker, directora de mercadeo; Allison O'Hara, coordinadora de mercadeo; Melissa Sturgis, publicista principal; y Chris Sigfrids, director de mercadeo en línea; y para todos los que trabajan con ustedes, mi agradecimiento.

Fue un verdadero placer trabajar de nuevo con David Kopp como mi colaborador de redacción, y su esposa, Heather Kopp, como nuestra editora.

Ambos han contribuido de manera extraordinaria en la visión y la sustancia de este libro. A decir verdad, me siento bendecido por su capacidad, creatividad y tenacidad, y agradecido por su amistad. Gracias.

Desde el principio, en el proceso de escribir el libro, el equipo de escritores se benefició en gran medida con el claro pensamiento y el minucioso trabajo de Eric Stanford, un lector bien informado y excelente editor en línea. Muchas gracias.

Le debo más de lo que pudiera expresar a mi asistente ejecutiva, Jill Milligan, con la que he trabajado muy de cerca durante más de treinta años. Como siempre, su entusiasmo y talento organizador convierten unos desafíos que parecen imposibles en unas metas logradas en un tiempo récord. Gracias.

Por último, les quiero expresar mi profundo agradecimiento y mi afecto a los miembros de mi familia. En primer lugar a mi esposa y más cercana colaboradora, Darlene. Una vez más me has apoyado, alentado y orado por mí hasta el final. Ningún hombre habría podido pedir más de lo que eres tú. Después, a mis hijas: Jennifer, tus numerosas ideas y provechosa lectura del manuscrito me ayudaron a darle la forma final al producto. Jessica, las semanas que invertiste para ayudarnos en la edición le añadieron gran valor al libro y recuerdos que atesora tu padre. Mi amor y mi gratitud más profundos para cada una de ustedes.

Atlanta, Georgia
Julio de 2009

Quince preguntas frecuentes acerca de la vida de milagros

Para las respuestas y otros recursos, ve a www.YouWereBornForThis.com

1. Son muy pocos los milagros que he visto en mi vida. ¿Me dice que tengo en mis manos la posibilidad de cambiar esa situación?

2. ¿Acaso no necesito una unción o unos dones especiales de Dios para entregar milagros?

3. Con la gente que afirma hacer milagros suelen estar relacionadas una serie de cosas muy extrañas. ¿Me podría sugerir algunas precauciones que me ayuden a mantenerme equilibrado y a no desviarme si tomo este camino?

4. En realidad, he cometido muchos errores en el pasado y aún no estoy donde desearía estar con Dios. ¿Soy candidato para asociarme a Él para los milagros?

5. ¿Qué sucede si fallo en la entrega de un milagro o alguien lo rechaza?

6. La gente afirma: «Dios me dijo» y «Dios me guió», pero no tengo esas experiencias en mi vida espiritual. ¿Algo anda mal en mí?

7. Después de leer acerca del riesgo de la fe, me doy cuenta de que sufro de una gran incredulidad. ¿Tiene alguna sugerencia para lo que debo hacer al respecto?

8. ¿No puede la gente exagerar los impulsos y las insinuaciones de Dios y terminar tomando decisiones tontas? ¿Cómo puedo saber si un pensamiento es de Dios o mío?

9. Los cinco pasos para la entrega de los milagros son útiles, ¿pero me puede decir más acerca de ese cuarto paso tan importante: la entrega del milagro?

10. ¿Hay más llaves para una vida de milagros aparte de las que incluyó en el libro o diría que esto es todo lo que hay?

11. ¿Cómo puedo tener la seguridad de que la gente usará mis fondos del Bolsillo de Dios de una manera adecuada?

12. Son muchos los que temen perseguir su gran sueño de la vida. ¿Algún consejo más sobre cómo ayudarlos a superar ese miedo para dar el próximo paso en su camino?

13. ¿Por qué dice que todos necesitamos un milagro de perdón de alguna clase?

14. ¿Cómo pueden cambiar las cosas en nuestro mundo si más personas se asociaran con Dios en el ámbito sobrenatural? ¿Qué puede suceder en las iglesias?

15. En realidad, quiero aprender más acerca de la entrega de milagros. ¿Ofrece otros materiales de entrenamiento o puede recomendar otros recursos útiles?

Notas

Capítulo 1

1. 1 Crónicas 4:9-10
2. *Merriam-Webster's Collegiate Dictionary*, 11ª edición, bajo la palabra «miracle».

Capítulo 2

1. Hechos 1:4, NVI
2. Hechos 1:8
3. 1 Corintios 2:1, 3-5
4. Efesios 2:10
5. Efesios 1:17-20, NVI

Capítulo 3

1. 1 Reyes 22:19-22, adaptado
2. 1 Reyes 22:22
3. 1 Reyes 22:34-37
4. Juan 5:17, NVI, adaptado
5. Juan 5:19-20
6. 2 Crónicas 16:9, NVI

Capítulo 4

1. Juan 20:21; Marcos 16:15, RVR 95
2. Isaías 6:1-4, LBLA
3. Isaías 6:8, NVI
4. Santiago 5:16, NTV, cursiva del autor

Capítulo 5

1. 1 Pedro 2:9
2. Lucas 22:27; Mateo 20:28; Juan 6:38
3. Jonás 3:1-3, LBLA
4. Jonás 4:1
5. Romanos 5:8
6. Colosenses 3:23-24
7. Mateo 25:40, LBLA
8. Mateo 25:40, LBLA
9. Lee Jonás 4:11

Capítulo 6

1. Juan 16:7
2. Lee Juan 16:7 (RV-09), 13-14 (RV-60)
3. Juan 16:8
4. Hechos 3:6, 12
5. 1 Corintios 2:10
6. Juan 16:13
7. Salmo 32:8
8. Romanos 8:14; Hechos 18:5; 16:6
9. Lee Juan 16:8-14
10. Hechos 4:13
11. Lee Lucas 24:29; Hechos 2:1-2

Capítulo 7

1. Mateo 17:20
2. Mateo 13:58
3. Mateo 14:27
4. Mateo 14:28-29
5. Mateo 14:33
6. Mateo 14:30-31
7. Marcos 6:6
8. 2 Tesalonicenses 1:11, NVI, adaptado

Capítulo 8

1. Isaías 30:21, NVI
2. Lee 2 Reyes 2:9; 4:2
3. Hechos 8:39

Capítulo 9

1. Santiago 2:15-16
2. Lucas 12:12
3. Lucas 17:15-16

Capítulo 10

1. 1 Timoteo 6:18, NVI
2. Proverbios 19:17, LBLA
3. Proverbios 19:17, LBLA

4. Lee Marcos 9:41
5. Lee Lucas 21:1-4
6. Éxodo 34:6
7. Mateo 5:16
8. Lucas 14:13-14, NVI
9. Consulta mi libro *Una vida recompensada por Dios*, donde encontrarás mucho más material sobre este tema.

Capítulo 11
1. Jeremías 1:4-5, NVI
2. Salmo 139:15-16
3. Efesios 2:10
4. 1 Samuel 25:32-33
5. 2 Timoteo 1:6-7
6. Filipenses 3:12-14

Capítulo 12
1. Mateo 6:12
2. Mateo 6:14-15
3. Mateo 18:21
4. Mateo 18:22
5. Mateo 18:27
6. Mateo 18:32-34
7. Mateo 18:35

Epílogo
1. Efesios 3:20
2. Lucas 5:19, LBLA
3. Lucas 5:20, 24-26, LBLA
4. 2 Timoteo 3:17
5. Salmo 145:4, 6

Acerca de los autores

Como uno de los más destacados maestros cristianos del mundo, **Bruce Wilkinson** es mejor conocido como el autor del éxito de librería número uno, según el *New York Times*, *La oración de Jabes*. Además, es el autor de otros cuantos éxitos de librería, incluyendo *Una vida recompensada por Dios*, *Secretos de la vid* y *El Dador de sueños*. Durante las tres décadas pasadas, Wilkinson ha fundado numerosas iniciativas mundiales. Ha desarrollado un profesorado en Biblia de más de treinta y dos mil personas en ochenta y tres naciones, ha dirigido un movimiento de ochenta y siete organizaciones que han enrolado y preparado a siete mil estadounidenses para servir en la antigua Unión Soviética, ha publicado diez revistas mensuales diferentes, ha desarrollado numerosos cursos que se han impartido en más de diez mil seminarios y ha guiado a tres mil seiscientos estadounidenses para abordar el hambre, el cuidado del huérfano, la educación sobre el SIDA y la pobreza en África. Bruce y su esposa, Darlene, tienen tres hijos y varios nietos. Viven en las afueras de Atlanta.

David Kopp ha colaborado con Bruce Wilkinson en doce éxitos de librería, incluyendo *La oración de Jabes*. Es editor y escritor, y vive en Colorado.

ÁBRETE PASO A LA ABUNDANCIA

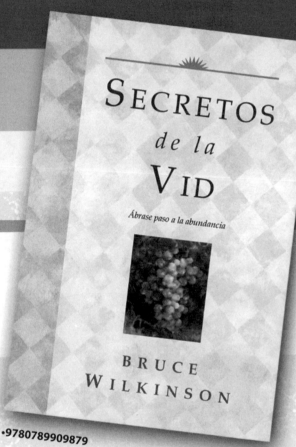

•9780789909879

Secretos de la vid
por *Bruce Wilkinson*

Este es el tiempo de cambiar la mediocridad por una vida llena de resultados. Descubre tres sorprendentes secretos que te ayudarán a desarrollar tu potencial.

Ve más hondo...
Más lejos...

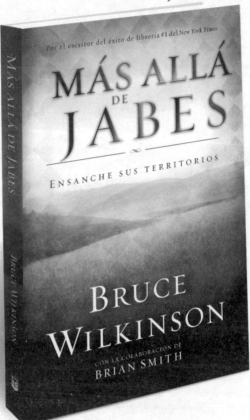

Más allá de Jabes
por *Bruce Wilkinson* y *Brian Smith*

Cuando las personas oran con pasión, Dios no solo escucha. ¡Responde!
Invaluables testimonios de oraciones respondidas y audaces enseñanzas
bíblicas aclaran las falsas ideas que rodean a la que fuera una poco conocida
oración. ¡Las respuestas en este libro destruirán la duda y harán sonar la
trompeta que anuncia un nuevo capítulo glorioso en tu andar con el Señor!

Conéctate con Bruce
en la Internet

Para más información sobre Bruce Wilkinson,
sus libros y conferencias, visita:

www.BruceWilkinson.com
www.YouWereBornForThis.com
www.Facebook.com/LastingLifeChange

- Videos de Bruce
- Testimonios de cambios de vidas
- Recursos para profundizar tu fe
- Información de próximos eventos